Didier Daeninckx

Métropolice

Gallimard

Didier Daeninckx est né en 1949 à Saint-Denis. De 1966 à 1975, il travaille comme imprimeur, animateur culturel, puis journaliste dans plusieurs publications. Depuis, il a écrit une vingtaine d'ouvrages – dont *Métropolice*, *Zapping* ou *Mort au premier tour* – qui sont tous des chefs-d'œuvre.

Pour la bande de Sic

CHAPITRE PREMIER

Première mission en Europe.

Il n'était pas parvenu à se détendre un instant durant tout le voyage. Le brusque affaissement de l'avion sur la piste l'obligea à retenir sa respiration et à calmer les battements de son cœur. Il ferma les yeux. Le pilote venait d'inverser les réacteurs. Le bourdonnement des moteurs, dans son dos, se mêlait au souvenir des cris de Téhéran. Hier soir, le taxi qui l'emmenait à l'aéroport avait dû se frayer un passage au travers des rues encombrées de cortèges. Il ne se rappelait pas avoir manqué une seule démonstration depuis la fuite du Shah. L'occupation de l'ambassade américaine, la campagne d'éviction de Bani Sadr, la lutte contre les Moujahidins du Peuple, le Toudeh...

Engoncé dans le siège fatigué de la Mercedes, il s'était, cette fois, contenté d'encourager les manifestants en reprenant leurs slogans que le chauffeur ponctuait au klaxon : « Mort à Sadam Hussein », « Mort à l'Irak », « Mort à la France ».

Il rouvrit les yeux sur le hublot strié d'eau. Le paysage ralentissait sa fuite et il aperçut, au loin, la masse grise de l'aérogare. À partir de cette minute, il connaissait exactement l'enchaînement du moindre de ses gestes. Comme s'il avait déjà vécu les heures qui allaient suivre son arrivée sur cette terre inconnue. Avant tout, ne jamais être seul, vulnérable. Exister dans la foule.

Le Boeing s'immobilisa.

Il se leva et se fondit dans le flot pressé. Au passage, il salua machinalement l'équipage, d'une inclination de la tête. Le groupe des voyageurs, compact, martelait le sol métallique du tunnel conduisant au satellite de débarquement, un sas de fraîcheur auquel succédait, à nouveau, l'air conditionné.

Il s'obligea à les suivre dans le dédale des tapis roulants, des couloirs aux parois de verre, jusqu'à la salle des bagages. Personne ne remarqua, dans le car bleu qui filait en silence vers la gare, ses mains vides posées sur ses genoux. De même le guichetier impassible, glissant sous l'hygiaphone deux allers simples Paris à un homme seul...

Il ramassa la monnaie, les billets et descendit sous la voûte de béton brut. Quelques dizaines de personnes s'étaient éparpillées au hasard des sièges multicolores, le long du quai.

À onze heures quatorze, une rame émergea du tunnel, annoncée par sa propre rumeur. Il déchiffra le code inscrit en lettres électroniques au fronton de la motrice : ETAL. La liste, cent fois récitée au cours des semaines passées, prenait les apparences du réel. Il s'absorba dans la contemplation d'un distributeur de friandises, le temps que la rame s'emplisse de ses passagers et s'évanouisse en soulevant vers lui des odeurs de machines et de crésyl. D'autres voyageurs, déjà, gagnaient le quai.

Vingt minutes plus tard il ne réprima pas le sourire monté à ses lèvres en lisant les caractères lumineux qui identifiaient le convoi suivant : SOLO 52. Il s'installa au fond du wagon, le visage tourné vers l'extérieur. À deux banquettes de lui, revêtement rouge et bleu en alternance, un homme d'une quarantaine d'années, les cheveux rares, tentait de saisir son regard entre deux phrases du journal. Il se laissa glisser sur le siège jusqu'à ce que le dossier le fasse disparaître de son champ visuel. Une autoroute longeait la voie. D'énormes boules fichées au sommet de piquets métalliques égrenaient les noms des hôtels de luxe. La constellation prit fin près de deux cèdres du Liban dont les branches couvraient la circulation.

Il se leva et prit place contre la porte. La rame ralentit pour stopper devant le panneau « Villepinte-Parc des Expositions ». Il lui fallait descendre au sous-sol, longer la fresque de céramique et dépasser cet énorme cercueil d'altuglass, une maquette du secteur, puis remonter par le quai numéro deux sur l'esplanade du Parc. Des centaines de personnes s'engouffraient dans les halls où se tenait le Salon International des composants électroniques. Il bifurqua pour plonger sur le parking central. Troisième allée, cinquième réverbère.

L'homme l'attendait.

Il se l'était imaginé différent : plus grand, plus jeune ; moins élégant surtout. Celui-là ressemblait trop à ce qu'il pensait combattre... Il s'arrêta pour déchirer son premier ticket en décomposant son geste. L'homme hocha la tête et fit un pas vers lui. Il parlait vite, d'une voix étouffée, mais l'accent d'Ispahan colorait chaque fin de phrase.

— Tu as fait bon voyage ?

Il se contenta de ciller. L'homme sourit.

— Ta mission doit se dérouler comme prévu. Nous n'avons modifié aucun détail... Pas de problème à la douane ?

— Non, à peine s'ils nous ont contrôlés...

L'homme reprit.

— Donne-moi le passeport et tout ce qui traîne dans tes poches... Garde juste un peu d'argent...

Il obéit en silence et remit à son compatriote, outre le passeport, un paquet de cigarettes, une pochette d'allumettes et un stylo. L'homme glissa le tout dans sa poche de revers, puis se baissa pour saisir une valise grise cerclée d'aluminium brossé, de dimension moyenne, et la lui tendit.

— Tout est réglé... La bombe explosera dans moins de deux heures. Quoi qu'il arrive, nous revendiquerons cette action un quart d'heure plus tard. Les frères t'attendent dans le Forum des Halles, à l'adresse convenue... Tu as bien étudié le parcours ?

Il referma sa main sur la poignée de la valise, la soupesa.

— Fais-moi confiance jusqu'au bout... Je dispose toujours de la même marge pour les rejoindre ?

L'homme le regarda droit dans les yeux.

— Huit minutes. Pas une de plus... Mais tu verras, c'est suffisant, ça se touche. Ensuite on organise ton repli sur la Belgique...

— Quand ?

— Dans la journée. Tu y seras ce soir. L'ambassade d'un pays favorable à notre cause met une voiture à ta disposition. Tu devras rester là-bas quelques semaines avant de repartir pour Téhéran... Peut-être plus...

Il haussa les épaules et un voile de tristesse passa sur ses traits. Il s'assura de la prise et fit demi-tour. L'homme le regarda s'éloigner, hésita puis se décida d'un coup à courir vers lui.

— Il est impossible de reculer maintenant... On ne nous le pardonnerait pas... Grâce à toi, ils seront obligés de prendre nos positions au sérieux... Que Dieu soit avec toi...

La valise se balança le temps de l'accolade. Ses mouvements contrôlés accompagnèrent le voyageur jusqu'à la gare. Il s'enfonça dans le couloir souterrain pour réapparaître sur le quai. Une rame baptisée LILI se rangeait au bord de la voie.

De l'autre côté du grillage, l'homme avait suivi le départ de son compagnon ; il observait la silhouette, derrière les vitres, qui s'abaissait précautionneusement vers les sièges. L'homme fit un signe de la main. Le capot d'une Volvo sombre pointa d'un alignement de carrosseries. La voiture vint se ranger, au pas, à l'endroit du rendez-vous. Un chauffeur en tenue descendit pour ouvrir la porte arrière droite. L'homme s'installa. Le chauffeur reprit sa place puis tourna la tête, légèrement, pour solliciter l'ordre. L'homme prit le temps de déplier un journal et annonça :

— Au consulat.

Il cala la valise entre ses jambes, les mollets crispés sur la coque plastique. Le sang cognait dans ses veines à la vitesse d'un métronome affolé dont chaque oscillation effaçait une parcelle de temps. À Sevran-Beaudottes, le wagon s'était empli d'un important groupe d'infirmières en uniforme bleu et blanc. Une jeune femme s'assit face à lui. Son regard vide passa sur la valise, son corps, avant de se bloquer sur les murs de ciment noirci que des éclairs électriques bleuissaient au sortir des virages. La lumière du jour revint brusquement, accusant la fatigue. Au-dehors, une infinité de maisons basses, serrées les unes contre les autres, avaient succédé à la plaine. Les nuages de pluie s'éloignaient.

D'autres voyageurs montèrent à Drancy, dont un policier en tenue. Le train reprit sa progression au travers de zones industrielles sans fin. Personne ne parlait, comme si chacun était tendu vers son propre but et refusait de s'en laisser distraire. Il se demanda quel pouvait être le but d'une infirmière ou d'un flic hors du service, celui

16

d'un lycéen endormi ou d'une vieille tricoteuse... qui ne se doutaient, ni les uns ni les autres, de leur effroyable proximité avec la mort.

Étudiant, il rêvait des heures entières sur les rares images de Paris illustrant ses bouquins de cours de français. Une photo surtout d'un parc planté d'arbres et de statues noires de femmes aux seins nus. Il n'en avait jamais été aussi près et, paradoxalement, aussi éloigné qu'à ce moment. Il ne verrait rien d'autre de Paris que cette banlieue d'entrepôts, d'usines cassées, de pavillons coincés dans leurs jardinets étriqués. Bientôt le train replongerait sous terre pour enfouir son bruit et son désordre. Il n'aurait plus droit qu'aux alignements des néons souterrains de la Ville lumière puis à une course effrénée au travers d'un agglutinement de boutiques avant de poursuivre son voyage, couché en chien de fusil sous la banquette arrière d'une voiture trafiquée.

Il savait, en acceptant la mission, qu'il se privait à tout jamais d'un rêve. C'est cette idée qui l'avait fait hésiter et différer sa décision de quelques heures.

— Il faut que je réfléchisse...

Le chef du Comité Révolutionnaire avait paru surpris.

— Comment ça, réfléchir ? Tu n'es pas sûr d'accepter ?

Il avait tendu les mains.

— Ce n'est pas ça, j'ai besoin de temps pour être en accord avec moi...

Il était revenu le soir même, apaisé. Le Comité

disposait de peu d'hommes aguerris maniant convenablement la langue française et les explosifs. Un refus, bien sûr, ouvrait toutes grandes les portes de l'inconnu, mais la crainte ne motivait en rien sa décision : il lui suffisait que l'Imam le veuille. Ensuite il avait passé un mois, isolé des siens, à répéter chaque phase de l'opération, s'inventant une multitude de problèmes et autant de réponses. Il ne fallait pas ménager la moindre place à l'improvisation. Tout prévoir, tout redouter. Ses états de service parlaient pour lui : une quinzaine d'attentats réussis dont un, en territoire ennemi. Une usine d'armement irakienne. Pourtant ses supérieurs l'avaient obligé à travailler le plus petit détail comme s'ils avaient affaire à un débutant. Il s'y était plié, conscient de l'énorme responsabilité qui pesait sur son nom. Ce dernier mot, dans sa tête, le fit sourire. Son nom ! On lui en avait attribué un, d'autorité, Youssef Amli, industriel libanais. Il était censé venir en France pour conclure des marchés portant sur la reconstruction de Beyrouth. Si la mission échouait, ce serait cette trace qu'on découvrirait. Celle de Youssef Amli...

Il était prêt à mourir en regardant les dernières lueurs de la Gare du Nord, sans parvenir à chasser un doute obsédant : et si Dieu, lui aussi, se fiait aux passeports ?

Un pantalon vert tire-bouchonné sur des mocassins boueux le sortit de sa rêverie. Son regard remonta lentement le corps de l'homme dont le coude replié coinçait une barre de maintien. Il

conclut sa revue de détail, sans marquer d'éton-
nement, sur le visage aux traits flasques dont il
avait classé le souvenir, en arpentant les quais de
Roissy. Il se demanda, l'espace d'une seconde, de
quelle manière l'autre s'y était pris, alors qu'il
l'avait vu monter dans la rame ETAL, pour se retrouver là. Il devait certainement l'attendre à la
Gare du Nord.

Il lui fallait impérativement descendre à Châtelet et se débarrasser du suiveur dans le réseau
des correspondances. Il reprit son examen en
profitant d'un moment où l'homme au pantalon
vert portait toute son attention sur le plan de
la ligne. Il évalua la forme physique, le souffle,
l'endurance de son adversaire. Il se rasséréna à la
vue du bourrelet de chair qui tendait la ceinture.
Le salut était dans la fuite.

Le train ralentit son allure. Très vite, ce fut la
station. Les gens se levèrent en silence, comme
engourdis, se pressèrent contre les portes. L'autre, là-bas, ne bougeait pas, les yeux rivés sur le
plan.

Il se mit à compter mentalement, les doigts
nerveux sur la poignée, les extrémités des pieds
bloquées sur le revêtement de sol, les muscles
durcis. Les deux battants glissèrent, accompagnés
de leur souffle pneumatique. Les flux s'affrontè-
rent. Un court instant le flot de ceux qui descen-
daient cessa, sans que celui des arrivants se sub-
stitue à lui. Il exploita l'ouverture. Ses jambes se
détendirent d'un coup et le propulsèrent au-dehors, la valise bloquée contre le torse, protégée

des chocs éventuels par ses bras. Il se mit à courir en remontant la rame, cent mètres peut-être, et modéra son allure. Il n'avait conscience d'aucune précipitation derrière lui, pas de cris ni de cavalcade, rien que le brouhaha lancinant amplifié par la résonance du béton. Il s'immobilisa entre deux panneaux semblables ; les couleurs chaudes et dorées d'une huile solaire. Il n'accorda qu'un vague coup d'œil aux femmes jumelles, des géantes dénudées aux cuisses ouvertes sur des flacons mystérieux. Une image reproduite à l'infini des couloirs, des quais, qui allait l'accompagner jusqu'à la fin de son jour.

Les wagons bougèrent insensiblement, sans heurt. Leur défilement s'accentua. La dernière voiture fut devant lui avant qu'il ait eu le temps de cligner des yeux. L'homme au pantalon vert poursuivait sa route vers Denfert-Rochereau, le menton toujours pointé sur la liste des stations.

Il ne se reprocha pas d'avoir pris cette précaution, la course, à la limite de l'affolement : depuis une heure, tout se jouait avec la mise maximum. Chaque coup engageait des dizaines de vies. Sa tête masqua un genou ocre, puis, une à une, toutes les lettres du slogan « JET D'AMBRE, huile solaire en aérosol ». Il contourna la rampe. À ses pieds le sol crachait des marches mécaniques qui le hissèrent, sitôt franchies une série de portes coupe-vent, dans le hall de la station. Il se débarrassa du second ticket acheté à Roissy et s'approcha du guichet.

— Un ticket de seconde classe...

La somme s'afficha en vert près de la soucoupe incrustée : 4 francs. Il fit l'appoint et ramassa le rectangle de carton jaune ligné sombre qu'il introduisit dans une composteuse à tourniquet. Au-dessus, un panneau lumineux collectionnait les destinations. Il commença à percevoir la musique alors qu'il poussait le bras de métal.

Les derboukas.

Il accéléra le pas jusqu'à marcher dans le rythme du musicien : il lui suffisait de lancer le pied droit au début du roulement pour, automatiquement, conclure du pied gauche sur le point d'orgue. Le son s'amplifiait à mesure de sa progression dans le long boyau de céramique blanche, mais il ne prit sa réelle dimension qu'à l'approche de la salle des tapis roulants. Il appuya son coude sur la main courante et se laissa porter. Des cris l'alertèrent à mi-chemin : un couple de jeunes gens, habillés de noir, les cheveux dressés, multicolores, remontaient le mince passage mouvant à contresens, bousculant tout sur leur passage. Il n'eut pas le temps de changer la valise de main, de la plaquer contre la paroi. Le genou du jeune garçon cogna violemment la tranche de la mallette. Il sentit la poignée vibrer dans sa paume et lui échapper. Le hurlement se bloqua au fond de sa gorge tandis qu'une sueur glacée le recouvrait instantanément. Le choc du bagage, bien qu'amorti par le sol plastique, lui emplit le crâne, chassant, du même coup, les milliers de bruits qui habitaient le couloir. Il pivota vers la valise intacte, les dents encore soudées par la terreur. Le couple marqua un temps d'arrêt. Le gars tendit le bras vers la poignée, mais il se jeta sur lui avant même qu'il l'eût frôlée. Le jeune punk recula.

— On va pas te la voler, ta valise ! Tu vas pas en faire une maladie...

La fille découvrit alors l'envie de meurtre qui obscurcissait son regard. Elle prit peur.

— Allez, viens, on se casse ! Arrête tes conneries.

Elle tira son compagnon par la manche. Le couple reprit sa course inversée, au milieu des protestations.

Il ramassa la valise qu'il palpa, anxieusement, sur toute la surface. L'extérieur ne présentait pas de déformation. Quant au mécanisme, il n'avait aucun moyen d'en vérifier le fonctionnement : l'introduction d'un outil, d'une clef ou d'un simple fil de fer dans une serrure ou une charnière déclenchait l'explosion. Le tapis mécanique l'amena sur le sol ferme. La musique réintégra son corps. Le musicien frappait les peaux tendues, le dos calé contre la plaque émaillée bleue égrenant les stations de la ligne Porte de Clignancourt-Porte d'Orléans. Le cercle des badauds bloquait le passage. Il dut jouer des coudes pour accéder à l'escalier menant au quai. Son esprit tout entier était accaparé par l'incident ; il ne remarqua pas l'homme en tennis blanches qui abandonnait le public et s'attachait à ses pas.

CHAPITRE II

Là-bas, tout le monde l'appelait Jacques.

Il avait fini par s'y habituer.

Rien ne restait de cette nuit mangée par le sommeil ; le voyage de Rodez à Paris se résumait aux élancements sporadiques qui lui raidissaient le dos.

Jacques, puisque Jacques il y avait, sentit une pression derrière lui.

— Vous descendez à la prochaine ?

Il se tourna pour découvrir celle qui l'interpellait d'une voix si douce, une petite femme au visage timide, semblable à celle qui, chaque soir, lui souhaitait une bonne nuit en poussant son chariot. Elle dut reposer sa question.

— Vous descendez ?

Ici ou ailleurs ? Quelle importance ? Il hocha la tête et confirma son intention en posant la main sur le loquet d'ouverture des portes. Il tenta de le soulever, mais la pièce arrêta sa course à la verticale, avant d'opposer une résistance définitive. Il gardait le souvenir de convois verdâtres dont il forçait les issues entre les stations. En passant la tête par la portière, il se fabriquait alors une tempête, pour lui tout seul.

Gare du Nord. Jacques eut envie de la suivre, mais il se vit. Son reflet, dans la vitre du wagon immobile, l'en dissuada : un voile de barbe accusait encore les aspérités de son visage, lui conférant un air tourmenté. Le vieux costume gris aux fines rayures blanches flottait tout autour de son corps trop maigre, pointu aux épaules, aux coudes, aux hanches. Le tissu courait après les membres osseux qui s'échappaient, nus, de ses extrémités. Pour finir, en bas, sur une paire de tennis blanches achetées plus larges qu'il ne fallait, ce qui avait pour effet d'accentuer sa claudication.

Il remarqua un rectangle fléché « Lavatory-Cireur » et emprunta la direction indiquée. Une porte grise barrait le chemin, plus loin. Il avança la main à la recherche d'une poignée. Le battant s'effaça, anticipant l'intention. Jacques se retrouva dans un même couloir, ayant franchi à son insu une limite au-delà de laquelle son billet n'était plus valable. Les toilettes se situaient en contrebas, un univers blafard, empli d'air chaud et humide. Il croisa de jeunes soldats aux crânes rasés sous les calots, quantité d'hommes pareils à lui, abattus, fripés. Également un Chinois coiffé d'un béret basque, assis sous la photo grand format d'un singe buvant du Coca-Cola.

Il pissa dans la coquille, pressa le bouton chromé. Au-dessus de l'unique évier crasseux, un écriteau prévenait : « Ce lavabo est exclusive-

ment réservé au lavage des mains. » L'évidence
du message frappa son esprit, mais il n'en cher-
chait déjà plus le sens caché en remontant les
marches.

Il reprit le couloir. Cette fois la porte, si docile
à l'aller, refusait de jouer dans l'autre sens. Il
essaya de se faufiler derrière des voyageurs qui
sortaient du métro. En vain, le mécanisme le battait de vitesse à chaque tentative. On lui indiqua
la salle d'accès au réseau où son billet, démagné-
tisé, alluma le voyant de rejet de la composteuse.
Plusieurs fois. Ça commençait à râler dans la file
d'attente naissante.

— Bon alors, qu'est-ce qu'il fout, celui-là ?

Jacques rebroussa chemin et vint se planter devant les guichets occupés par deux femmes. Il
plongea une main dans la poche de sa veste pour
la ressortir serrée sur quelques pièces jaunes. La
monnaie tinta dans la soucoupe d'acier.

— Un ticket, s'il vous plaît...

La caissière, une femme blonde, sans âge, la
chair abondante comprimée par le costume de
toile bleue, avança ses doigts qu'elle agita sur les
pièces pour les compter.

Elle tendit le cou vers la vitre et, d'un débit
lent :

— Y'a pas assez... C'est quatre francs le
ticket...

Jacques fixa les pièces, l'aquarium de verre
dans lequel les employées bavardaient. Il recula
en vacillant jusqu'à buter contre le mur. La femme interrompit sa conversation et releva la tête.

— Vous oubliez votre argent, monsieur...

Sa voix fut couverte par une violente musique aux sonorités africaines, chœurs et percussions. Un groupe de jeunes gens, avançant en ligne, fit irruption dans la salle. Beaucoup de cuir, d'habits sombres qui mettaient en valeur la pâleur des visages. Au centre, un type aux cheveux bruns, bouclés, maintenait un imposant poste transistor en équilibre sur son épaule droite. Ils passèrent devant lui, uniquement préoccupés de leur rythme.

— C'est fou ce groupe... Ils font vraiment fort...

— Tu m'étonnes, je les ai vus à Balard... Au moins vingt sur scène ! Je ne te dis pas...

Le premier venait de prendre son élan. Il sauta le tourniquet d'un bond assuré par la main posée sur la machine. Le groupe entier l'imita et ils s'éloignèrent comme si de rien n'était, vers les quais. Les employées n'avaient pas manifesté la moindre réaction. Elles continuaient à discuter, à l'abri de leur bocal. Les sonorités heurtées de King Sunny Adé faiblirent. Jacques attendit qu'elles disparaissent totalement pour se lancer à l'assaut du composteur. Sa course bancale bloqua durement sur l'obstacle. La jambe droite était passée sans problème, mais le pied d'appel avait faibli sous l'effort. Il se retrouva à califourchon sur les pales du tourniquet, les parties endolories, ne sachant trop comment se tirer de ce mauvais pas. Alertées par le bruit du choc, les deux guichetières s'étaient levées. Elles mirent plusieurs secondes à réaliser la situation, avant de se faire face, interloquées.

— Mais il est dingue... Qu'est-ce qu'il fabrique ?

L'autre se prit la tête à deux mains.

— Eh bien, on n'a pas fini ! Voilà les infirmes qui s'y mettent...

Jacques se saisit de sa jambe malade et, d'un geste brusque, lui fit franchir l'appareil. Il reprit son souffle en marchant. Il devinait les dizaines de regards braqués sur son dos, mi-apitoyés, mi-désapprobateurs et comprit, à leur silence, qu'il leur inspirait également de la peur. À cette simple idée, il se redressa. Le quai s'arrêtait sur la fosse, un mètre devant ses tennis blanches. Le groupe et son vacarme avaient disparu, emportés par une rame dont le bruit s'amenuisait. Un peu partout des gens mangeaient ; des sandwichs de forme ronde qui l'intriguaient ou des frites puisées dans des poches papier. On ne devait pas être loin de midi. Il réalisa que son dernier repas remontait à la veille au soir et qu'il venait d'abandonner ses ultimes ressources sur un guichet. Il prit place dans un wagon, recroquevillé tout entier sur sa faim.

Sa joue battait contre la vitre tiède. Les voitures se couchèrent dans un crissement strident et prolongé en abordant le virage, sous la rue de Dunkerque. Il aperçut les voyageurs des wagons de queue, un bref instant, avant qu'ils ne s'estompent, dissimulés par l'alignement des rails. Une femme aux traits marqués, entourée de vête-

ments colorés et bouffants, visitait les comparti-
ments, une paume ouverte. Son corsage débou-
tonné laissait voir la naissance d'un sein, à demi
caché par le visage d'un nourrisson. Jacques fit
semblant de dormir. Quand il émergea de son
sommeil factice, la femme et son gosse s'éloignaient vers la sortie de Réaumur-Sébastopol.

Une frontière venait d'être franchie : les employés avaient laissé la place. Il était maintenant
entouré de jeunes gens. Il se mit à déchiffrer les
inscriptions tracées à la peinture sur une publicité
pour les oranges OUTSPAN. Une sonnerie insis-
tante, entre le grave et l'aigu, le souffle du système de verrouillage des portes... Le convoi démar-
ra contre sa volonté, au milieu du message.

Quinze secondes d'arrêt, pas une de plus. Le
temps nécessaire à l'évacuation ordonnée, par
trois portes automatiques, de 140 personnes
voyageant en position debout et de 24 autres levées à la hâte. Puis leur remplacement par
164 candidats, jetés à l'assaut de 24 banquettes et
strapontins surmenés...

Ses tennis froissèrent un journal oublié ou jeté
à terre. Il rassembla les feuilles intactes. Tiercé,
programmes télé, petites annonces, faits divers...
« DEUX POLICIERS ASSASSINÉS À PARIS ». Le titre
était bloqué, de chaque côté, par les photos
d'identité professionnelle des victimes. Un peu
comme les éléphants d'ivoire, sur l'étagère, qui
maintenaient les volumes de son encyclopédie.

Jacques parcourut l'article qui relatait l'événe-
ment survenu la veille, près du square de la Trini-

té. Il n'en retint que les veuves éplorées et le nombre des orphelins. Une autre manchette capta son attention : « NOAH EXÉCUTE ROGER VASSELIN. » Les premières lettres majuscules émaillées de la station Châtelet apparurent sous les néons. Il lâcha le journal, fasciné par la plaque inclinée : CHÂTELET !

Aucun doute, il était à destination... Il se dressa et bouscula la foule, sourd aux plaintes. Il arpenta le quai, de la démarche raide d'un robot, les pupilles écarquillées, pour ne rien perdre du spectacle. Jacques venait de trouver le lieu.

Il lui fallait débusquer l'homme. Il se mit à sa recherche.

Il tourna dans un couloir tapissé d'affiches. Des corps féminins aux rondeurs luisantes d'huile solaire. Pratiquement nus. Il croisa d'autres femmes, lui, la tête pleine de ce flacon dans l'entre-cuisse des photos. Une idée fixe que son pas inégal pilonnait et qu'elles ne pouvaient manquer de surprendre... Les roulements des percussions le cueillirent sur le tapis mécanique. Il prit conscience qu'il les entendait depuis longtemps déjà, un univers sonore de second plan... Le ruban de caoutchouc le déposa près du musicien debout, le derbouka coincé bas, entre les genoux. Jacques s'intégra au cercle des curieux pour écouter un morceau et se reposer. Un homme le heurta en voulant gagner la correspondance de la Porte d'Orléans. Il pivota, vaguement irrité. C'était lui ! Il le reconnut immédiatement : la même stature puissante, le complet bleu nuit de bonne coupe, les souliers noirs vernis... Jusqu'à la valise de dimension moyenne qu'il tenait, rigide, au bout du bras droit. L'autre inclina la tête, pour contourner un voyageur. Jacques distingua la barre noire sous le nez, aussi sombre que les cheveux coupés court sur la nuque. Il délaissa la musique orientale — elle s'était évanouie pour lui — et dévala les quelques marches qui conduisaient au quai. Ses tennis émettaient un chuintement imperceptible en quittant le sol luisant. Il s'assit sur le banc, entre une gamine qui lisait le verso d'une pochette de disque et un tableau énumérant les 28 articles du règlement de la RATP.

L'homme à la valise se tenait immobile au bord de la fosse. Le bout de ses chaussures noires entamait la ligne blanche tracée tout le long du quai. Il haussa les épaules quand le grondement se fit plus précis. La gamine rangea le disque dans un sac de la FNAC. Jacques se releva et vint se placer juste derrière l'homme. Il frissonna de froid. La sueur mouillait son dos. La motrice doubla le panonceau de limite des premières classes. Ses mains jaillirent de ses poches et se collèrent sur les omoplates de l'homme.

Qui bascula dans un cri terrible.

L'homme eut un dernier sursaut vers sa valise qui rebondissait sur les rails. Il n'avait jamais rien vu de plus gros qu'une motrice de métro.

CHAPITRE III

Michèle Fogel observa l'amarrage du voilier au ponton. Les deux équipiers, un couple en tenue d'été, descendirent de l'embarcation et vinrent prendre place à la terrasse du restaurant de l'Arsenal, en contrebas du bureau. À deux pas de là, le canal Saint-Martin plongeait sous terre, traversait la place de la Bastille, remontait le boulevard Richard-Lenoir pour réapparaître quai de Valmy, à des kilomètres.

Les Brigades de sécurité du métro occupaient d'anciens locaux administratifs mis à leur disposition par la RATP. Une suite de baraquements accrochés au flanc de la station Bastille, sur la voûte du canal. Les jours de moral, ça vous avait des airs de Venise... Les soirs de déprime, les taches d'huile, dans la flotte, semblaient vous faire des clins d'œil. Autant d'invites à se foutre à l'eau...

Soudain tout se mit à vibrer, les fenêtres, les portes, les meubles, le plancher. Les trépidations s'accélérèrent à mesure qu'un bruit d'enfer envahissait l'espace. La rame de la ligne Vincennes-Neuilly stoppa, de l'autre côté du bureau, à l'opposé du bassin de l'Arsenal. Puis tout redevint calme, pour quinze secondes.

Michèle Fogel vint prendre place derrière son bureau. Elle tira sa jupe sur ses genoux. C'était la seconde fois qu'elle s'habillait « en femme », depuis un an qu'elle avait été nommée à la tête des Brigades. Du jour de sa présentation, à la Préfecture — tailleur près du corps, talons, bijoux discrets — elle ne se souvenait que des deux cents paires d'yeux, celles des gardiens, des gradés, détaillant ses contours, jaugeant les formes de la patronne... Une expérience radicale qui l'avait conduite à adopter une tenue passe-muraille : mocassins, pantalon, veste longue tirée jusqu'au bas des fesses.

Le printemps lui redonnait des envies de plaire, de mettre sa quarantaine à l'épreuve. Le regard allumé de l'inspecteur Deligny, qui venait d'entrer dans la pièce, la rassura sur son pouvoir de séduction.

Pour être sincère, cette métamorphose devait beaucoup à Aline, sa fille, qui la tarabustait depuis des semaines, exigeant de voir sa maman « en dame », comme avant. Elle inclina vers elle la photo de la fillette, une photo d'enfant sage, les coudes appuyés sur une table d'école, et lui sourit.

Elle effaça les marques de l'attendrissement pour s'adresser à l'inspecteur Alain Deligny.

— Alors, vous avez les statistiques ?

L'inspecteur travaillait à la Brigade depuis sa création, en octobre 1976. Il avait démarré sur les quais et mis sur pied les équipes en civil qui faisaient la chasse aux pickpockets. En sept ans, il avait gravi tous les échelons de la hiérarchie et son grade d'inspecteur principal devait lui ouvrir toutes grandes les voies de la consécration... Lors de la mise à la retraite, l'été précédent, du commissaire Sicart, il s'attendait à récolter les fruits de ses longs efforts. Les services du ministère avaient alors sorti de leur chapeau le nom de Michèle Fogel, une femme, inspecteur en banlieue, qui avait fait parler d'elle en réglant, sans grabuge, une sale affaire de prise d'otage.

Alain Deligny avait eu du mal à ravaler son dépit et s'était tout d'abord consolé en guettant les signes de lassitude ou de découragement de son nouveau commissaire. Peine perdue ! Les mesures de réorganisation prises par Michèle Fogel se traduisaient dans les chiffres alignés sur les feuillets du dossier qu'il posa sur la table.

— Oui, les voilà...

Le commissaire disposa les documents en éventail.

— Eh bien, ça n'a pas l'air mal du tout ! On dirait qu'ils commencent à comprendre qu'on ne plaisante plus... Qu'est-ce que ça donne par station ?

L'inspecteur Deligny se pencha ; du bout de l'index, il fit glisser la dernière feuille.

— Globalement, sur les 358 stations, il y a recul des infractions. C'est très net dans environ

300... Disons que cette baisse est compensée par une forte hausse sur les 50 restantes...

Michèle Fogel observa l'inspecteur tandis qu'il parlait. Elle savait à quoi s'en tenir sur ses intentions à son égard. Il ne souhaitait qu'une chose : inverser les places de part et d'autre du bureau ! Chacun louait ses capacités, le sérieux de son travail et nul doute qu'il aurait fait un excellent commissaire. Le sort en avait décidé autrement.

D'ailleurs, il avait à peine trente ans : ses mérites ne tarderaient pas à être reconnus. Le commissaire se rejeta contre le dossier de son siège.

— Vous voulez dire une augmentation uniforme sur ces 50 stations ?

— Non, il y a surtout une dizaine de points critiques : toutes les gares, sans exception. Avec une mention particulière pour Montparnasse. Plus tout le secteur Châtelet, les Halles, Beaubourg et Opéra... Leur cible privilégiée, ce sont les touristes. Ils se font littéralement dépouiller !

Alain Deligny s'était approché d'un plan lumineux du réseau. Il enfonça les touches des stations pour illustrer son propos. Michèle Fogel hocha la tête, machinalement.

— 170 000 interpellations en un an ! Près de 15 000 personnes conduites au poste... On peut difficilement faire plus...

L'inspecteur approuva.

— Oui, maintenant c'est un simple problème d'effectifs. Une quinzaine d'équipes supplémentaires et on tient tout !

34

— Je n'en suis pas aussi certaine. Le problème d'effectifs est bien commode pour masquer celui de la définition de notre mission. Combien de contrôles d'immigrés sur les 170 000 interpellations ? 70 % ? 80 % ? C'est de cet ordre-là... Si on mettait toutes nos forces à pourchasser les délinquants, basanés ou non, au lieu de faire la chasse aux clandestins, le métro de nuit serait aussi sûr que le musée du Louvre ! Vous ne croyez pas, Deligny ?

Il baissa la voix pour répondre, gêné.

— C'est bien possible, commissaire... En attendant, je pensais qu'on pourrait dégarnir les secteurs les plus calmes et transférer les hommes disponibles sur les points chauds...

Michèle Fogel se leva. Elle s'approcha de la fenêtre ouverte sur le bassin.

— Non, il n'est pas question de relâcher la pression. C'est trop tôt. Il faut tenir le terrain... Insistez auprès de la RATP... Qu'ils diffusent des messages dans les stations pour mettre les gens en garde contre les pickpockets...

— Ils le font déjà...

Le commissaire se pencha à la fenêtre.

— Oui, je sais, en français ! Ça fait des mois qu'ils doivent enregistrer leurs appels en allemand et en anglais ! Il faudrait peut-être qu'ils s'y mettent un jour !

Alain Deligny amorça une moue de découragement.

— J'essaierai encore une fois...

— Je l'espère. Sinon, c'est tout ?

L'inspecteur marqua un temps d'hésitation puis se décida.

— Oui... Enfin, à part cette histoire de plainte...

Michèle Fogel se retourna brusquement, arrachée à la contemplation des mouvements du port de plaisance.

— Quelle plainte, inspecteur ? De quoi parlez-vous ?

— Encore un gars qui prétend avoir été victime d'un contrôle (il chercha le mot)... musclé... Mais il n'y a...

Le commissaire lui coupa la parole.

— Dans quel secteur ?

— Denfert-Rochereau, commissaire. Un Portugais. Il a soi-disant été tabassé par deux îlotiers, dans un local technique de la station. J'ai interrogé nos hommes : le type était complètement saoul et il s'est, tout simplement, cassé la gueule sur le carrelage... Ils sont dans le couloir. Je les fais entrer ?

Michèle Fogel fit un signe de la main.

— Oui, allez-y. Vous avez jeté un coup d'œil dans leurs dossiers ?

Alain Deligny acquiesça.

— Bien entendu. Rien de bien méchant ; des petites remarques disciplinaires. C'est le premier accroc important, aussi bien pour l'un que pour l'autre. Le rapport détaillé est sur votre bureau, sous la chemise des statistiques.

Il ouvrit la porte au moment précis où une seconde rame de la ligne Vincennes-Neuilly entrait en station. Il dut élever la voix pour se faire entendre des deux policiers assis dans le couloir.

— Chalion, Portac ! C'est à votre tour. Entrez.

Les deux hommes pénétrèrent dans le bureau agité de tremblements et demeurèrent immobiles, plantés au milieu de la pièce. Ils ôtèrent leurs képis. Michèle Fogel les toisa : deux flics ordinaires, un grand brun, moustachu, costaud, le menton bleu de barbe, qui ne parvenait pas à effacer un rictus ironique de ses lèvres, et un petit blond, dégarni, qui lançait de brefs regards de détresse en direction de son compagnon. Michèle Fogel l'attaqua en premier.

— Vous vous appelez comment ?

Le blondinet commença à malaxer la visière de son képi.

— Hervé Chalion, commissaire. Matricule 7517...

Elle prit un stylo pour noter les réponses dans son calepin.

— Et vous ?

Le rictus évolua en sourire narquois.

— Robert Portac, matricule 6528. On n'y est vraiment pour rien dans cette histoire, madame...

Michèle Fogel abattit sa main sur le plateau du bureau.

— Je n'y suis pour rien dans cette histoire, COMMISSAIRE !

Robert Portac serra les dents et reprit.

— On n'y est pour rien, commissaire... Il a glissé tout seul ! Faut dire qu'il en tenait une bonne...

Le commissaire feuilleta le dossier pour en extraire un papier.

— S'il avait bu, c'était un drôle de phénomène... Les analyses pratiquées à son entrée à l'hôpital sont formelles : Antonio Dias n'avait aucune trace d'alcool dans le sang. Il vaudrait mieux, pour vous, que vous trouviez autre chose.

Robert Portac s'avança d'un pas. Il porta une main à son visage. Michèle Fogel entendit le grattement des ongles sur la barbe naissante.

— En tout cas, il ne tenait pas sur ses guibolles. C'est même ce qui a attiré notre attention... Peut-être qu'il ne se sentait pas bien... Il est tombé comme une masse, la tête la première...

Le commissaire agita le dossier sous le nez des deux flics.

— J'ai bien envie de transmettre l'affaire à la commission de discipline... Votre rôle consiste à faire reculer l'insécurité qui règne dans le métro. Pas à l'aggraver ! Tenez-vous-le pour dit.

Robert Portac et Hervé Chalion inclinèrent la tête. L'inspecteur tendit le bras pour ouvrir la porte. Une rame s'annonçait en sifflant sur la courbe de la rue de Lyon. Le téléphone sonna.

— Oui. Ici le commissaire Fogel... Je vous écoute... (elle plaqua la main sur son oreille gauche pour atténuer le bruit). La journée commence bien ! Bon, laissez tout en place et faites évacuer la station en filtrant les issues. J'arrive.

Elle se leva, défroissa sa jupe avant de décrocher sa veste de tailleur suspendue au mur.

— Vous venez avec moi, Deligny. On ne sera

pas trop de deux. Un type vient de se faire assassiner à Châtelet... On l'a poussé sous un train qui entrait en station. Ils le dégagent...

Alain Deligny grimaça. La dernière phrase du commissaire évoquait en lui pas mal de souvenirs.

Du genre de ceux qu'on préfère enfouir très loin dans sa mémoire.

CHAPITRE IV

Michèle Fogel et Alain Deligny empruntèrent la passerelle qui courait le long du pont. La voiture de service était garée plus haut, sur le boulevard Bourdon. Le commissaire se mit au volant. Elle enclencha la marche arrière et lança la R 12 à fond, la sirène hurlante. Arrivée sur la place de la Bastille, elle braqua et prit vers la rue Saint-Antoine, à contresens, pour éviter d'effectuer le tour de la place. Ses pieds s'agitaient sur les pédales, embrayage, accélération, frein... À la hauteur de la place des Vosges, au fond de la rue Birague, elle accrochait déjà la quatrième. L'inspecteur surveillait la route en retenant son souffle.

Moins de cinq minutes plus tard, ils stoppaient sec devant le théâtre du Châtelet.

Un cordon de policiers interdisait l'accès du métro à une foule de Parisiens et de touristes. Ils se frayèrent un chemin jusqu'aux escaliers. Michèle Fogel exhiba sa carte tricolore.

— Il y a quelqu'un sur place ?

L'agent, un vieux flic affecté au commissariat de la rue Pierre-Lescot, pointa un doigt en direction de la station.

— Oui, l'inspecteur principal Clauzel. Il vous attend en bas.

Ils ne s'étaient pas arrêtés pour attendre la réponse. Ils dévalèrent les marches dans un claquement précipité de talons. Clauzel vint à leur rencontre. Il maintenait un émetteur-récepteur collé à son oreille.

— Nous vous attendions, commissaire... Le type, enfin ce qu'il en reste, transportait une sorte de valise...

Il s'interrompit pour manœuvrer son talkie. Michèle Fogel se mit à trépigner.

— Oui, et alors ? Il avait une valise...

— Excusez-moi, il marche à moitié... C'est ça, une valise... Elle s'est déglinguée en tombant... Nos gars ont l'impression qu'il y a une bombe ou un truc de ce genre, à l'intérieur... Qu'est-ce qu'on fait, on la remonte ?

Le commissaire fixa Clauzel, sans masquer son irritation.

— Pas question ! On ne prend aucun risque... Surtout avec le monde qui doit encore circuler dans les couloirs. Appelez le service de déminage. La préfecture est à deux cents mètres, ils seront là d'ici cinq minutes.

Elle se tourna vers Deligny.

— Vous, faites évacuer toute la station : les quais, les correspondances, les couloirs. Je ne

41

veux plus voir un chat dans le coin, voyageur, clodo ou employé de la r'tape !

L'inspecteur Clauzel manipulait les commandes de son appareil. Il approcha ses lèvres de l'émetteur et tenta d'établir la liaison. Le talkie se contenta de faire entendre une série de crachotements.

— C'est le problème en sous-sol... Ça parasite de partout !

Michèle Fogel lui montra la porte donnant sur l'escalier et la rue.

— Eh bien sortez dehors, espèce de con ! Si c'est une bombe, on n'a pas le droit de perdre la moindre seconde !

Elle rejoignit l'inspecteur Deligny qui donnait des directives à un groupe de gradés.

— Vous faites ratisser les couloirs un à un et vous virez tout le monde au plus vite. Sans explications... On n'a pas le temps de discuter. Que l'un de vous se charge, en personne, de passer un message au micro. Sans affoler, il n'y a pas à provoquer de panique, mais que ce soit efficace...

Un des gradés s'avança.

— Comment on se débrouille avec les sourds-muets ?

L'inspecteur était prêt à partir. Il se retourna et le toisa.

— Quoi ? Quels sourds-muets ?

L'autre haussa les épaules.

— Ben, ceux qui se réunissent dans le grand hall. On a souvent des ennuis avec... Ça va être dur de leur faire comprendre... Ils vont croire que c'est une brimade...

Alain Deligny lui coupa la parole.

— Démerdez-vous ! il y en a bien un dans le tas qui peut vous servir d'interprète ! Personne n'a de question sur les culs-de-jatte ou les éjaculateurs précoces ? Non ? Alors au boulot...

Les officiers s'éparpillèrent dans les différents couloirs de la station. Des coups de sifflet, stridents, résonnaient aux oreilles. Le commissaire faisait les cent pas le long d'un guichet.

— Mais qu'est-ce qu'ils fabriquent ! il ne leur faut pas une heure pour traverser la Seine ! Au fait, inspecteur, vous savez s'ils ont réussi à trouver des témoins du meurtre ?

— Nous avons trois témoins, dont celui qui a coupé le courant en actionnant le signal d'alarme, sur le quai. Ils sont gardés à disposition au commissariat de quartier, rue de Rivoli.

Michèle Fogel inclina le poignet et consulta sa montre pour la dixième fois.

— Elle a cent fois le temps d'exploser, si c'est une bombe ! Et le conducteur du métro ? Il a vu quelque chose ?

— À mon avis, ce sera comme d'habitude... Avec le pilotage automatique, il n'y a plus rien à attendre de ce côté-là.

L'inspecteur Clauzel, le talkie vissé sur le crâne, déboucha du couloir principal hors d'haleine, suivi de près par trois hommes revêtus de combinaisons bleu-gris. Chacun d'eux portait une valise métallique. Clauzel articula avec peine.

— C'est l'équipe de déminage, commissaire...
Michèle Fogel vint à leur rencontre.

— On commençait à désespérer. Ça se passe sur le quai de la ligne 4, direction Porte d'Orléans.

Les trois hommes la dépassèrent. Lorsqu'elle parvint au bord des rails, ils étaient déjà à l'œuvre, dans la fosse. L'un d'eux auscultait la valise du mort à l'aide d'une sorte de stéthoscope, accroupi près du cadavre sanglant. La motrice avait dû le traîner sur quelques mètres, en fin de course. La roue avait fortement entaillé le tronc. Par contre, le visage de la victime était intact, celui d'un homme jeune, aux traits réguliers, coupé par une moustache noire. Michèle Fogel réalisa, avec un temps de retard, que le cadavre ne lui inspirait aucun dégoût... mais sans comprendre que cette impression de douceur naissait du regard bleu que la mort n'avait pas encore terni.

L'artificier posa son casque d'écoute puis, d'une traction puissante des bras, se hissa sur le quai. Le commissaire remarqua sa nervosité aux efforts qu'il déployait pour contrôler son souffle.

— Alors ?
Il hocha la tête d'un mouvement bref.

— C'est bien une bombe. Du sérieux même ! On ne peut pas y toucher... C'est un miracle qu'elle n'ait pas pété en tombant sur les rails...

— Quelle puissance ?

— Aucune idée. En plus, ils ont piégé le système d'horlogerie pour dissuader leur gars d'arrêter en cours de route. Ça ressemble bougrement à

44

la valise de l'avenue La Bourdonnais... Une sacrée vacherie : on a deux copains qui y sont restés...

L'inspecteur Deligny s'approcha. Ses pas semblaient démesurément amplifiés par le silence qui régnait dans la station. La rumeur des convois s'était tue, tout comme l'agitation des quais. Il se surprit à parler bas.

— Vous voulez dire qu'on va être obligés d'attendre l'explosion ?

L'artificier se passa une main sur le front et se comprima les tempes.

— Ça peut arriver d'une seconde à l'autre...

Michèle Fogel s'interposa. Une sueur moite, collante, recouvrait sa peau. Son maquillage la démangeait, elle ne supportait pas cette désagréable impression de coulure, au coin des paupières. Quelle poisse ! Elle avait bien choisi son jour de représentation !

— Vous ne pouvez rien tenter avec le caisson blindé ? Vous l'avez prévu, au moins...

— Il est en cours d'acheminement. On le fait suivre de manière systématique... Neuf fois sur dix pour des prunes... Il faut bien que la dixième soit la bonne ! Ça ne va pas être facile de lui faire franchir les escaliers... Il reste à espérer que leur minuterie nous en laisse le temps.

Un groupe de cinq hommes émergea d'une correspondance, au fond de la station. Alain Deligny les aperçut le premier. Il se mit à hurler, les mains en porte-voix.

— Barrez-vous d'ici !

Il évita le regard du commissaire mais ressentit le besoin de se justifier.

— Je me demande ce que foutent les flics... Ils ont ordre de bloquer les issues... Je vais voir.

Les cinq hommes s'étaient arrêtés. L'un d'eux se décida à répondre.

— Je m'appelle Bernard Berlion, du service « Infrastructures » de la RATP... Il est possible que je vous sois utile...

Le commissaire se porta à sa hauteur.

— Michèle Fogel, de la brigade du métro. Vous pouvez rester. Je ne vous cache pas qu'on peut sauter d'une minute à l'autre... Ce n'est pas la peine de gonfler le bilan, dites à votre escorte d'aller se mettre à l'abri.

L'ingénieur, un gros homme couperosé, la cinquantaine essoufflée, donna des directives à son entourage. Avant de quitter le quai, l'un des employés qui l'accompagnaient lui tendit un long tube de carton.

— Les plans, monsieur.

Bernard Berlion se hâta de rejoindre les artificiers, près de la motrice.

— Alors, vous l'aurez bientôt désamorcée ?

— Non, impossible d'y toucher... Le dernier espoir de ne pas foutre en l'air votre station, c'est le caisson blindé...

L'ingénieur écarquilla les yeux.

— Vous parlez sérieusement ?

— Qu'est-ce que vous croyez que je fais ici ? Un numéro de claquettes ?

Bernard Berlion devint fébrile. Il déboucha le

46

tube et le secoua, l'extrémité ouverte vers le sol pour en extraire des tirages de plans.

— Faites tout ce que vous voulez, mais il ne faut pas qu'elle explose ici... Nous n'aurons jamais fini de vider les stations environnantes, ni les rames coincées dans les tunnels...

Michèle Fogel l'aida à sortir les ozalids puis à les déplier.

— Calmez-vous... D'après les techniciens, il y a un maximum de deux kilos d'explosif... Sûrement de la pentrite... Ça va faire des dégâts, d'accord, mais pas au point d'atteindre Cité ou Pont-Neuf ! C'est à plus d'un kilomètre...

L'ingénieur fut pris d'une rage subite. Il lâcha le tube qui rebondit sur le sol dans un bruit creux. Il brandit un plan devant le visage du commissaire.

— Mais vous ne comprenez rien ! Vous savez lire un plan ? Au-dessus de votre tête, c'est la Seine ! Nous nous trouvons exactement à l'amorce du tunnel qui traverse le fleuve... Si cette saloperie de bombe est assez puissante, elle peut endommager la voûte... La pression de l'eau est phénoménale, comme sur un barrage... La moindre brèche provoquerait une inondation immédiate du réseau dans un rayon de deux kilomètres...

Toute trace de couperose avait disparu de ses traits, les nuances noyées dans la boule écarlate à quoi se résumait sa figure. Michèle Fogel examina les dessins comme pour mieux se convaincre du désastre imminent. Elle était livide ; l'angoisse agissait différemment sur elle...

— Deligny ! Donnez l'ordre d'évacuation à toutes les stations du centre de Paris... Au pas de charge !

L'inspecteur demeura sur place, interdit.

— Ça va foutre une panique monstre... On aura l'air malin si ça n'explose pas.

Le commissaire le reprit de volée, sifflant entre ses dents.

— Je vous dispense de me donner votre avis. Exécutez les ordres : je préfère risquer une panique que porter la responsabilité d'une noyade collective.

L'artificier s'approcha. Il se saisit d'un plan, l'étudia en détail.

— On est dans de sales draps...

Il capta l'attention de l'ingénieur et désigna successivement deux points, de l'index.

— Nous sommes là, on est bien d'accord ? Bon, si on parvient à la déposer ici, est-ce que vous pensez que tout danger serait écarté ?

Bernard Berlion fit naviguer son regard d'un point à l'autre, estimant les risques, calculant les épaisseurs de béton, évaluant la pression des eaux.

— Ça se trouve sous le quai de la Mégisserie, près des piliers du Pont au Change...

L'artificier le pressa.

— Alors ? C'est jouable, oui ou non ?

— Je le pense. Les dégâts seraient considérables... Il y a là une série d'ouvrages délicats. Mais au moins, ce n'est plus la flotte au-dessus ! Pas la terre ferme non plus... Si ça crève, nous aurons droit à une avalanche de boue. On a six passages sous la Seine. Ils ont choisi le plus pourri ; comme de juste ! Ça tient à la nature du sol, des limons instables...

Michèle Fogel lui coupa la parole.

— C'était avant qu'il fallait songer à consolider... Ça date de quand ?

— Ici ? 1905... Mais on ne fait pas mieux aujourd'hui. Plus vite, c'est tout.

Il fut interrompu, une nouvelle fois, par un bruit de moteur et de roulements qui provenait du couloir menant à l'entrée principale. Les artificiers se précipitèrent dans la direction du vacarme. Bientôt, une sorte de Fenwick muni d'un bras articulé et protégé par un bouclier d'acier apparut sur le quai, suivi d'un second engin supportant un caisson blindé. Les artificiers dirigèrent le convoi au bord de la fosse, à l'avant du train.

— Allez tous vous mettre à l'abri ! Je vous conseille de vous allonger à plat ventre...

Le commissaire, l'inspecteur et Bernard Berlion obéirent. Ils se placèrent dans un virage, protégés par un épais mur recouvert de céramique blanche. Michèle Fogel s'étendit par terre et risqua la moitié de la tête hors de la protection, pour suivre les opérations.

Un des hommes venait de descendre dans la fosse. Elle distinguait sa silhouette, en enfilade. Il se baissa devant la motrice pour passer un filin sous la valise. Il dut repousser la jambe du mort afin de travailler à l'aise. Il fit signe à celui qui manœuvrait le bras articulé.

— Vas-y, amène-le en douceur...

L'autre, derrière son bouclier d'acier, poussa ses manettes, millimètre par millimètre. La pince s'ouvrit lentement, sans à-coups, puis commença à plonger vers la voie. Chaque mouvement était guidé, à distance, par l'artificier placé en contrebas.

— Encore... Encore... Un poil à droite... Là ! Referme...

Les doigts de métal agrippèrent le filin. L'artificier remonta précipitamment sur le quai et rejoignit son collègue derrière le bouclier blindé. Il lui adressa une tape d'encouragement.

— On peut y aller, ça devrait tenir.

Le bras articulé vibra, de manière imperceptible, avant de s'élever hors de la tranchée. La valise suivit, en se balançant, la trajectoire ralentie. Michèle Fogel retint son souffle en la voyant apparaître. Il aurait suffi d'une infime crispation sur les manettes pour la renvoyer dans les profondeurs de la station, et eux tous avec ! Puis tout s'accéléra : la mallette disparut, enfouie dans le caisson blindé qui s'ébranla aussitôt. Le conducteur se tenait raide sur son siège, livide.

L'artificier gueula.

— File dans le second couloir et essaie d'atteindre l'indication « Fort d'Aubervilliers ». Ensuite tu te magnes pour revenir ici ! Allez, roule...

Le fourgon passa à fond de train devant le

groupe allongé. Les artificiers se plaquèrent au sol à leur tour. Tous tendaient l'oreille dans la direction qu'avait empruntée le caisson. Le bruit du moteur allait faiblissant. Il s'arrêta d'un coup, remplacé par les échos précipités d'une cavalcade. Le conducteur du fourgon surgit en courant dans la station. Il n'eut pas le temps de se mettre à l'abri : une formidable explosion retentit, faisant vibrer le sol, les murs. L'homme fut projeté en avant et, déséquilibré, tomba sur la voie. L'onde de choc provoqua l'explosion des lampes, des néons, des vitres, plongeant les quais dans une semi-obscurité.

Michèle Fogel se tenait crispée sur le ciment, les nerfs douloureux. Elle n'osa faire le moindre geste, tout le temps que la déflagration resta présente dans ses oreilles. Un écho sans fin, comme les cercles concentriques d'un impact dans l'eau. Elle souleva la tête, le buste, en appui sur les mains et observa les volutes de fumée qui envahissaient la station, par bouffées puissantes. Elle se mit debout, hébétée. À ses pieds, l'inspecteur toussait, crachait, sans réussir à dominer une réaction allergique. Plus loin, un artificier brossait ses vêtements, du plat de la main. Il regarda le commissaire.

— Je ne sais pas ce qu'ils avaient foutu là-dedans, mais je ne connais pas grand-chose d'aussi puissant !

Bernard Berlion se leva à son tour.

— On l'a échappé belle ! Sous la Seine, c'était l'hécatombe...

Alain Deligny se décida à imiter ses compagnons. Il se dressa, le visage congestionné, s'essuya les yeux.

— Ça me fait pleurer, cette saloperie de poussière !

Michèle Fogel lui coupa la parole.

— Vous feriez mieux d'aller voir si le gars du fourgon n'a rien de cassé, au lieu de vous lamenter !

L'inspecteur pinça les lèvres. Il se tamponna le visage avec son mouchoir et s'avança vers l'endroit où l'homme était tombé. Deux artificiers l'avaient devancé. Ils revenaient en soutenant leur collègue sous les aisselles. L'inspecteur s'enquit auprès d'eux de l'état du blessé. Il retourna près du commissaire.

— Il est juste un peu sonné... Qu'est-ce qu'on fait maintenant ?

— Je file au central... Je crois qu'on va chercher à me joindre d'un peu partout... Vous, vous restez ici. Essayez de ramasser le maximum d'informations sur lui. (Elle désigna le cadavre, dans la fosse, d'un mouvement de menton.) Je prends la voiture, vous rentrerez en métro quand ils auront rétabli le trafic !

Alain Deligny se força à sourire.

— D'accord, si vous me décrochez une bonne prime de risque !

Elle traversa les couloirs déserts. Au bas des escaliers, à l'entrée de la station, elle fut happée par la cohorte des policiers et des gradés. Elle se montra rassurante et franchit le cordon de sécurité. Dehors, la foule inquiète des curieux s'écarta sur son passage. Au deuxième rang, anonyme, Jacques la fixa quand elle passa près de lui. Il se fit la réflexion qu'elle ressemblait à sa mère.

CHAPITRE V

Michèle Fogel s'installa au volant. Les voitures
des équipes de télé, de radio, stationnaient de
l'autre côté de la place du Châtelet, vers la Tour
Saint-Jacques. Elle déboîta en faisant crisser les
pneus sur l'asphalte déjà chaud. Au matin, on
avait bien cru que le temps allait changer ; deux,
trois gouttes pour rien : la canicule reprenait ses
droits. Peu de circulation sur la voie express.
L'autoradio promotionnait le nouvel album
d'Alain Chamfort, « Secrets glacés »... On le lui
imposait assez comme ça à la maison ! Elle tendit
la main pour changer de canal. Le speaker cassa
son geste.

« Flash de dernière minute... »

Les secrets glacés fondirent en douceur, remplacés par les bribes de la fréquence qui cracho-
tait en surimpression.

« Dernière minute sur France-Inter... Une explosion de forte puissance vient de se produire à
la station de métro Châtelet. Cette explosion
semble donc être la cause de l'arrêt du trafic sur

la presque totalité du réseau dont nous vous parlions lors de notre flash précédent. La police interdit actuellement l'accès de la station au public ainsi qu'à la presse... Selon les premières informations, on ne déplorerait que d'importants dégâts matériels... Nous ne sommes pas en mesure de préciser s'il s'agit d'une explosion d'origine accidentelle ou si elle doit être mise en rapport avec la vague d'attentats aveugles qui secoue l'Europe... »

Elle tourna le bouton en dépassant la caserne des Célestins, sur le boulevard Henri-IV, et se gara sur un emplacement de bus. Deux policiers la guettaient à l'entrée de la passerelle. Le premier la remplaça au volant. Il partit à la recherche d'une place ; l'autre lui emboîta le pas jusqu'à son bureau.

— Ça n'arrête pas de téléphoner, commissaire. La presse, le ministère, la préfecture...

— Le ministre en personne ?

Le policier exhiba une fiche bristol couverte d'inscriptions.

— Non, un membre du cabinet, Gérard Prajot... Par contre vous avez eu le préfet en direct... Je vous le fais appeler ?

Michèle Fogel se laissa retomber dans son fauteuil. Elle se sentait un peu lasse et sale, comme après un long voyage.

— Non, plus tard... Dites-leur que je suis encore en route. Laissez-moi souffler cinq minutes.

Tout se liguait pour ne pas lui accorder le moindre répit : un jeune policier en civil du service des transmissions fit irruption dans le bureau, une dépêche à la main. Il se mit à parler, la voix haut perchée, aspirant de grosses bouffées d'air entre chaque mot.

— L'agence France-Presse vient de recevoir un message du Front Armé Iranien... Une organisation inconnue... Ils revendiquent l'attentat du Châtelet... Ce sont de vrais dingues...

Il posa le télex devant le commissaire qui le lut rapidement. Elle se leva et vint se placer devant la carte lumineuse du réseau.

— Celui qui a poussé le poseur de bombe sur la voie a sûrement empêché la plus grande catastrophe dont Paris ait jamais été menacé ! La bombe devait exploser là...

Elle pointa son index, d'un geste vif et précis, entre les stations Châtelet et Cité.

Le policier approcha son visage du panneau.

— Vous voulez dire, dans le tunnel ?

Elle approuva.

— Oui, exactement, dans le tunnel.

— Mais pourquoi ?

Elle attendit que la rame entrée dans la station Bastille quitte le quai avec son bruit de ferraille.

— Tout simplement parce que la ligne passe sous la Seine ! Leur bombe était assez puissante pour crever la paroi et provoquer l'inondation d'une bonne partie du tunnel... Je vous laisse imaginer le résultat : les morts se seraient comptés par milliers !

— Ce sont des fous furieux...

— Je ne sais pas si ce sont des fous, mais en

tout cas nous avons affaire à une organisation très structurée. Ils étaient sûrs de leur coup : la diffusion du message était pratiquement coordonnée avec l'explosion... À un quart d'heure près ; le temps pour le terroriste de se planquer et d'échapper à nos recherches...

Michèle Fogel passa l'heure suivante en communication avec tous les services officiels, recevant des conseils, des encouragements. Quelques félicitations aussi. Elle était occupée à rédiger son projet de rapport quand l'inspecteur Deligny fit irruption dans la pièce. Elle resta penchée sur sa feuille.

— Ça y est, ils ont rétabli le trafic ?

— Non, pas encore... On m'a déposé en voiture. Là-bas, ils pensent que c'est un Arabe...

Michèle Fogel desserra à peine les dents.

— Qui pense que qui est un Arabe ?

— Eh bien les gars qui sont chargés de ramasser les morceaux... D'après eux le type vient sûrement d'un pays d'Afrique du Nord...

— Il faudra qu'ils révisent leur géographie... un groupe terroriste iranien vient de revendiquer l'attentat. À part ça, vous avez pu interroger des témoins ?

Il hocha la tête puis sortit un calepin à couverture marron, d'une de ses poches de blouson. Il feuilleta rapidement le carnet jusqu'aux pages centrales.

— Ils ne sont pas très nombreux. Pourtant ce n'était pas les heures creuses... Comme toujours, ils se contredisent : j'ai d'abord Véronique Bufard, dix-sept ans. Elle venait du Forum des Halles, où elle avait acheté le dernier disque de AC/DC, un groupe de rock...

— Oui, je connais...

L'inspecteur reprit.

— Elle a remarqué un grand type, mal habillé, qui s'est assis à côté d'elle, sur le banc. Il s'est levé précipitamment, à l'arrivée de la rame...

— Elle l'a vu pousser l'homme à la valise ?

— Hélas non... Elle lisait le verso de la pochette... En gros, elle évite de regarder les hommes avec trop d'insistance. Pour ne pas se faire emmerder...

Le commissaire ébaucha un sourire.

— Vous êtes calé en ce qui concerne la psychologie des jeunes filles ! À part ça ?

— Le conducteur du métro : Alain Duval, trente-sept ans. À croire qu'il dormait. Il s'est aperçu qu'il se passait des choses anormales alors que le corps était déjà sur la voie. Il ne l'a pas vu tomber ! Il a appuyé sur le bouton d'arrêt d'urgence et sur le manipulateur de freinage, ce qui a tout de même permis d'arrêter la rame dix mètres plus avant...

— La RATP ne lui fera pas de cadeau... Pourtant ça me semble difficile de ne pas être abruti après cinq ou six heures de pilotage automatique. Ils n'ont rien d'autre à faire que de regarder le ballast ! On doit vite se lasser...

L'inspecteur se fichait éperdument des considérations générales sur le métier de conducteur de rame, mais il attendit que le commissaire se taise pour continuer.

— C'est bien possible, commissaire... Pour finir, deux voyageurs. Celui qui a eu le réflexe de briser la glace d'alerte et de couper le courant d'alimentation. Pierre Coustel, il sortait du théâtre du Châtelet où il venait de réserver des places pour une opérette... Pour lui le pousseur est vraisemblablement un petit homme en costume sombre. Il se trouvait juste à côté de la victime quand la rame s'est annoncée et le témoin l'a vu disparaître en courant, après le drame...

Michèle Fogel récapitula.

— Donc, la jeune fille a repéré un grand type mal fagoté, le conducteur dormait et le troisième témoin penche pour un petit bonhomme en costume strict... Pas vilain comme point de départ ! C'est tout ?

— Non, le dernier témoin est persuadé que le meurtrier est une femme. Selon ses déclarations, une femme d'une trentaine d'années, une jolie brune, est entrée précipitamment sur le quai alors que tout le monde tournait la tête de l'autre côté, vers le tunnel d'arrivée du métro. Elle s'est arrêtée d'un coup à hauteur de l'Iranien, avant qu'il ne soit précipité sous les roues de la motrice. L'enquête pouvait difficilement démarrer plus mal !

— Ne soyez pas pessimiste, inspecteur. L'une de ces trois pistes est peut-être la bonne... On continue à prendre les dépositions des autres voyageurs, non ?

Alain Deligny ferma les yeux très vite, pour confirmer.

— Oui, je ne me suis occupé que des témoins les plus précis. Ils doivent en interroger pas loin d'une cinquantaine, y compris des gens situés sur le quai opposé. Ils n'avaient que ça à faire : observer...

— On devrait arriver à obtenir un portrait plus précis de notre objectif... Préparez-moi un rapport de synthèse d'ici demain matin, Deligny. Je suis obligée de m'absenter pour faire la tournée des hauts lieux...

Les dépositions recueillies à Châtelet arrivèrent à Bastille en fin d'après-midi. Alain Deligny les étudia une à une. Pas la moindre trace du type mal habillé ni du nabot élégant. Personne, non plus, ne signalait la présence d'une jolie femme suspecte. Il communiqua les noms des témoins au service du fichier, par principe. La vérification s'avéra infructueuse. De la fenêtre ouverte sur le canal, montait une odeur fraîche d'eau et de végétation. Il s'appuya un moment au cadre et laissa son regard errer à la surface du bassin, puis franchir la passerelle de l'Arsenal, le Pont Morland, jusqu'à la Seine. Il lui fallait encore s'assurer que les photos du poseur de bombe avaient bien été codées, chiffrées et transmises au fichier informatisé de l'identité judiciaire.

Le flic, au bout du fil, lui dressa un inventaire complet de ce que possédait la victime. La bombe était son bien le plus précieux ! On n'avait retiré de ses poches qu'un ticket de métro usagé, passé en machine à la station Châtelet et de la menue monnaie. Rien d'autre. Toutes les marques des vêtements avaient été soigneusement enlevées. Pas de bijoux ni de montre. Le laboratoire ne serait pas en mesure de fournir ses conclusions concernant la valise et les explosifs avant plusieurs jours. Alain Deligny s'apprêtait à raccrocher quand le policier lui annonça.

— À part ça, il se croyait à Mardi gras !

L'inspecteur sursauta.

— Et pourquoi donc ?

— Il se baladait avec un drôle de déguisement... Le crâne complètement rasé sous sa perruque. Les moustaches, pareil... C'était du bluff... Je vous fais parvenir un jeu de photos avec et sans les poils... Qu'est-ce que vous en pensez ?

— Intéressant... Ça confirme surtout que nous avons affaire à de vrais professionnels. Tout est dominé, ils ne laissent rien au hasard. S'il avait réussi son coup, nous aurions une armée de témoins s'entêtant à nous décrire un homme aux cheveux noirs, le visage barré d'une grosse moustache, pendant qu'un mec à tête de légionnaire se promènerait sous les fenêtres de la préfecture sans attirer l'attention...

Le flic approuva puis lui souhaita de terminer tôt, avant de raccrocher. Vers neuf heures Deligny mettait la dernière main à son rapport. Il s'octroya une pause au « Bourdon », une brasserie de la place, et rentra chez lui.

Il habitait rue de l'Aqueduc, un de ces vieux immeubles parisiens à persiennes. Son appartement donnait, en enfilade, sur le quartier Stalingrad et le métro aérien. Il n'y était pour rien : sa femme, Geneviève, logeait là bien avant qu'ils ne se rencontrent. Un trois-pièces spacieux, confortable, dont la salle commune s'agrémentait d'une cheminée en état de marche, surmontée d'une glace. Il aurait pu se rapprocher du centre, mais les logements de fonction de la préfecture ne faisaient pas le poids...

Il poussa la porte alors que le générique de fin de Dallas montait en puissance :

« Dallas,
Ton univers impitoya-a-ble,
Dallas,
Glorifie la loi du plus fort... »

Le parquet de l'entrée craqua sous ses pas. Il ôta ses chaussures sans même se baisser, d'un blocage du bout du pied sur le talon opposé, et enfila ses chaussons. Geneviève était allongée sur la banquette, une cigarette aux lèvres. Il se contenta de lui appuyer un baiser rapide sur le front et se précipita sur la télé pour baisser le son.

— Mais qu'est-ce que tu fais, Alain, j'écoute !

Il se tourna vers elle, lourd d'une soudaine fatigue.

— Tu ne vas pas me dire que tu te passionnes pour ces conneries !

Elle écrasa sa cigarette dans une assiette posée

sur une table basse. Les cendres incandescentes grésillèrent dans un reste d'omelette.

— Tu rentres à neuf heures et demie, sans même me prévenir par un coup de téléphone, et, dès que tu es là, je dois être à ta disposition...

— Mais je ne t'ai rien demandé, Geneviève. Rien du tout... J'ai seulement besoin d'un peu de calme...

— Eh bien, imagine que moi, c'est le contraire ! J'en ai marre du calme ! Marre et remarre, tu entends ?

Elle se leva et tourna le bouton du volume à fond. Alain se précipita pour le replacer dans sa position initiale, celle précédant son arrivée. Il éleva le ton pour couvrir le « jingle » des pubs intercalaires.

— Si tu veux du mouvement, viens me tenir compagnie à la brigade... Je te jure que tu seras servie : on a eu un meurtre, à Châtelet. Il était pas beau à voir...

— Tu as choisi d'être flic, non ? Alors ne viens pas te plaindre de patauger dans la boue. Les mécaniciens, au moins, sont fiers d'avoir les mains pleines de cambouis...

Alain Deligny serra les poings. Il fit demi-tour vers la cuisine et tenta de retrouver son calme en se confectionnant une salade : tomates, blanc de poulet, cornichon, maïs. Il mangea lentement, seul, face au mur laqué bleu. Derrière la cloison, Polac dirigeait mollement un débat sur les voitures d'occasion. Leurs rapports s'étaient pas mal dégradés, en cinq années de vie commune. Le

63

souvenir de leur première rencontre lui permettait encore de s'accrocher à la fiction de leur amour. Un coup de foudre tout bête. Pour son nez !

Il ne l'avait jamais avoué à personne. Même pas à Geneviève. Surtout pas à elle ! Il l'avait vu tout d'abord de face, légèrement épaté, de cette couleur incroyablement douce, marron et transparente , puis elle avait tourné la tête pour répondre à une question. Il avait suivi le déplacement de son profil plat, dans la ligne du front, qui se terminait sur une pointe émoussée. Un nez qui peuplait son visage d'exotisme, des réminiscences d'Afrique et de Caraïbes.

C'était grâce à cette fascination toute particulière qu'il avait trouvé le courage de l'aborder... S'il s'était attardé, comme d'habitude, sur le dessin du corps, les formes pleines qui tendaient le jean, les abîmes d'ombre du corsage, nul doute qu'il aurait renoncé, la jugeant hors de sa portée. Aujourd'hui encore, il lui suffisait de la regarder pour retrouver l'émotion d'alors.

Il empila son assiette dans l'évier et se versa un fond de cognac qu'il avala à petites gorgées, devant la télé. Geneviève continuait à faire la tête. Elle avait choisi de l'irriter en changeant de chaîne toutes les deux minutes. Polac et ses bagnoles pourries. Drucker au Canada, Charlot machiniste. Il feignit de ne pas remarquer son jeu et déplia le journal de la veille sur la table basse. Son pistolet fit une tache noire au milieu de la page des petites annonces. Il commença par enlever le chargeur, sans que Geneviève se rende compte de ce qu'il entreprenait. Elle se mit en alerte en entendant les deux coups de sécurité tirés à vide. Alain dégréait le chargeur.

— Je t'en prie, va faire ça ailleurs ! Un de ces jours, il y aura une balle dans le canon... C'est ça que tu veux ?

— Arrête de dire n'importe quoi... Je t'assure que je viens de passer une journée éreintante. J'ai failli y passer. Pour de bon... Tu n'as pas écouté les infos ?

La sûreté manuelle à l'horizontale, il tira la glissière jusqu'au point d'accrochage.

— Tu sais bien que je n'aime pas regarder le journal... (elle se composa un masque désolé et enfantin). Excuse-moi de te faire une scène, Alain, mais comprends que je t'attends toute la sainte journée... Tu pourrais au moins m'avertir de tes retards. Je n'en demande pas trop ? Hein...

Il extirpa le canon du bloc culasse, s'essuya les mains sur un coin de journal et s'approcha de sa femme. Elle attira son visage contre sa poitrine puis posa sa joue sur ses cheveux. Ils restèrent ainsi, silencieux, immobiles, devant les images muettes du machiniste moustachu.

Plus tard, le cercle rétrécit lentement sur la silhouette bancale et la canne flexible. La présentatrice de Soir 3 énuméra les titres du journal, de son ton monocorde, mettant autant d'émotion dans l'annonce du meurtre de trois écoliers allemands, par un tireur fou, que dans celle du projet du maire de Paris visant à l'extension du stade Roland-Garros.

Alain Deligny en profita pour procéder au remontage de l'arme. L'attentat du métro avait volé la « Une » à l'affaire des deux flics abattus la veille. Après une prise de vues, caméra à l'épaule (le cahotement, le manque de précision des cadrages rajoutaient à la tension, dramatisaient le reportage effectué en toute tranquillité, après l'explosion), et commentée à l'antique, la régie envoya l'inévitable bande d'archives, en noir et blanc.

Le Paris du début du siècle ouvrait le reportage, un mélange de fiacres, d'autos, de crinolines et d'impériales. Puis les bords de Seine et le fleuve chargé de bateaux à vapeur qui tiraient d'énormes caissons métalliques obturés à chaque extrémité par des murs de maçonnerie. Une voix d'homme, aiguë et nasillarde, faisait contrepoint aux images.

« Les traversées de la Seine en viaduc, acceptables pour les quartiers périphériques, ne pouvaient être adaptées au centre historique de la capitale. À partir de la ligne 4, toutes les traversées du fleuve furent réalisées en souterrain. M. Bienvenüe fut chargé des travaux et fit appel à des techniques très particulières pour ce début de siècle... »

Le film montrait alors l'immersion d'un caisson au fond du fleuve.

« Les caissons, assemblés sur les berges, furent échoués dans des tranchées préalablement creusées dans le lit de la Seine et, ensuite, accolés les uns aux autres. La traversée de la ligne 4 a nécessité la construction d'un ouvrage de 1 092 mètres, de la rue des Halles à la rue Danton. »

Le dernier volet du sujet historique insistait sur la fragilité du réseau aux infiltrations. Une barque plate, sur laquelle avaient pris place une dizaine d'employés du métro, képis d'époque à courtes visières, moustaches fournies, remontait la station Odéon envahie par les eaux.

« Lors de l'inondation de 1910, l'exploitation du métro fut perturbée pendant près de trois mois. Toutes les stations du centre de Paris étaient touchées ainsi que les quartiers Bastille, Gare de Lyon, Saint-Lazare, Gare de l'Est. Mais la montée des eaux s'était faite en plusieurs semaines, ce qui avait permis de prendre, à temps, toutes les dispositions utiles... On frémit, rétrospectivement, à l'idée du raz de marée qu'aurait provoqué le geste d'un fou, s'il n'avait été arrêté à temps... »

Alain Deligny se leva pour éteindre le poste. Geneviève parut surprise.

— Tu n'attends pas de savoir ce qu'ils en disent ?

Les chaussons décrivirent deux arcs de cercle. Le pantalon tomba en plis successifs sur le parquet. Il enjamba le tas de tissu.

— Disons que ça m'intéresserait davantage si j'étais chargé de l'enquête...

Geneviève haussa les épaules.

— Tu devrais commencer à t'y faire ! Bientôt

un an qu'elle a remplacé le commissaire Sicart...
Elle n'est pas près de partir en retraite, elle !

Il porta ses mains à son visage. L'odeur coutumière de la graisse d'entretien le conduisit dans
la salle de bains. Il éleva la voix.

— Tu ne veux pas comprendre... Je n'ai rien
contre elle. Elle est même plutôt sympa...

— En plus, elle n'est pas vilaine, pour son
âge... Tu dois y penser au bureau, de temps en
temps, non ?

La jalousie feinte de Geneviève chassa son
dépit.

— Je crapahute depuis sept ans dans cette saloperie de tube... Tout ça pour me faire doubler
par une provinciale qui n'avait jamais mis les
pieds dans le métro...

Il s'essuya les mains, se débarrassa de son mail-
lot de corps, de son slip et fit irruption dans la
chambre. Il se jeta sur le lit. Geneviève sursauta

— Où tu vas, comme ça ?

— En voyage... Et les voyages que je préfère,
avec toi, c'est dans la position couchée...

CHAPITRE VI

Les tennis blanches longèrent le soubassement habillé de céramique orange. Deux courtes haltes ponctuèrent la traversée du quai. De son pas irrégulier Jacques contournait les jambes tendues vers le sol noir, des hommes, des femmes bloqués dans leurs alvéoles orangées.

Ils avaient refait la voûte : des carreaux blancs, brillants, plus réguliers... L'éclairage aussi avait pris un coup de jeunesse, des rampes lumineuses encastrées dans leurs carters surbaissés remplaçaient les néons de son souvenir. Il s'arrêta, pour la troisième fois, devant une de ces poubelles qui rythmaient les séries de sièges. Elles lui faisaient penser à des écoutilles d'où seraient sortis les repas de l'équipage... Des distributeurs de plats... Il se pencha et enfouit ses mains, ses bras, dans les journaux froissés, les tickets, les détritus. Il parvint à exhumer un demi-pain au chocolat et une pomme à peine entamée. Le tout en bon état de propreté, protégé, dans la poubelle, par une épaisseur de papier.

Jacques se mit à essuyer son repas avec soin. Il n'entendit pas venir, dans le fracas des rames qui se croisaient, l'homme dont la voix le surprit.

— Tu vas manger ça ?

Il eut un mouvement de recul. Personne ne s'était directement adressé à lui depuis des heures. Un clochard se tenait devant lui, un homme d'une cinquantaine d'années, robuste, des cheveux longs, bruns et gris, encadrant un visage rond piqué de barbe. Il ne ressemblait pas aux nombreuses épaves alcoolisées qu'il ne cessait de rencontrer au hasard de ses déplacements. Une cloche digne...

— N'aie pas peur, je vais pas te le piquer ton casse-croûte ! Pas dans cet état-là, en tout cas... T'aimes les Mac-Do ?

Jacques haussa les épaules et pointa les sourcils, l'air ahuri. L'homme tendit vers lui un sac plastique transparent qui contenait un pain rond tartiné de sauce et de particules de viande.

— C'est ça, les Mac-Do ! On en trouve des super à Opéra, en ce moment... Ils viennent d'en ouvrir un nouveau, de leurs fasse-foute. Alors, forcément, ils soignent !

Il s'approcha un peu plus de Jacques, rassurant. En face, de l'autre côté de la voie, une vieille Chinoise baissait son rideau de fer sur un étalage de ceintures, de porte-monnaie plein cuir.

— Je m'appelle Victor... Victor tout court... J'ai pas l'habitude d'accrocher les gens comme ça, et pour être franc, je ne sais même pas ce qui me prend de le faire avec toi !

Il posa sa main sur l'épaule de Jacques, dans un geste paternel.

— Allez, viens. On va passer sur l'autre quai, direction Dauphine... C'est par là, le resto !

Ils dépassèrent l'alarme avec son homme noir sérigraphié sur la glace à briser : une silhouette cassée précipitée sous les roues d'une motrice... Puis les extincteurs incandescents et le robinet de cuivre, dans sa niche carrelée. Avant de laisser l'escalier mécanique aux marches de bois, sur leur gauche, un miroir, au mur, happa leur image.

Ils croisèrent la Chinoise. La rame s'immobilisa, la cabine dans l'ombre du tunnel, accompagnée du couinement des freins et des claquements de portières. Jacques se sentit tiré par la manche.

— Arrive... Je t'emmène ! Vaut mieux pas louper celui-là : c'est le dernier... La voiture-balai ! On ne va quand même pas passer la nuit ici... C'est un coup à ne pas se réveiller !

Ils montèrent dans un wagon de première classe, désert. Jacques colla son visage à la vitre pour voir disparaître, dans l'accélération continue les panneaux de la station « Père Lachaise ».

— Tu dors où, cette nuit ?

La question le surprit. Il était perdu dans ce texte fléché qui réservait des places de coin, par priorité, aux mutilés de guerre, aux aveugles civils, aux invalides du travail et aux infirmes civils, aux femmes enceintes et aux personnes accompagnées d'enfants âgés de moins de quatre ans, cherchant par quel miracle les gratteurs de consi-

71

gne parvenaient à métamorphoser ces « mutilés de guerre » en « nullités du cul ».

— Je ne sais pas, moi... N'importe où...

Monsieur Victor sourit.

— Au moins, tu n'es pas difficile. Ça fait longtemps que tu zones ?

Jacques détacha son regard de la vitre et fixa le fond du wagon, l'enfilade des voitures.

— Que je quoi ?

— Je parle français pourtant ! Que tu es à la rue, si tu préfères.

Jacques se contenta d'un

— Non

que le clochard approuva d'un hochement de tête.

— Je m'en doutais. Tu as l'air d'être complètement paumé. T'en fais pas, fais-moi confiance... Les copains disent : « Monsieur Victor, ça vaut une assurance contre la mort... »

Ils descendirent à Opéra. Les voyageurs, parvenus à destination, se hâtèrent vers les sorties, entre les grilles tirées. La station se vida tandis qu'ils inspectaient le contenu des poubelles. Débris de viennoiserie, de franquettes, de hamburgers... Des rames passaient, dans le lointain, leur présence intermittente répercutée par le calme du réseau. L'éclairage diminua d'intensité. Monsieur Victor entraîna Jacques dans un couloir hostile, au sol jonché de journaux éventrés, de tracts, d'avocats pourris, ultime trace d'un commerce ambulant, jusque devant une porte grise « Interdit au public ». Il plongea ses mains dans ses poches, remuant des amoncellements d'objets mystérieux, et exhiba une courte clef brillante. Un carré. La serrure joua sans bruit. Ils pénétrèrent dans un local minuscule, entièrement carrelé, empli de matériel de nettoyage. Des seaux en ferraille, des balais, des serpillières étaient alignés contre les parois, ainsi que des bidons de produits et d'eau de Javel. De larges traînées sombres marbraient les murs, près de la voûte. Jacques se cala avec précaution entre deux piles de seaux.

— On peut rester ici ?

Monsieur Victor protesta en grimaçant.

— Pas question ! C'est plein de flotte... Un coup à attraper la crève. On va aller se planquer ailleurs... Il faut attendre qu'ils aient fini leur ronde, avec leurs cabots... Tiens, justement, regarde, les voilà !

Il tira légèrement la porte vers lui, ne ménageant qu'une fente imperceptible. Jacques colla son œil au chambranle. Un groupe de vigiles en uniformes gris-bleu ratissait les couloirs. Les deux premiers retenaient chacun un chien de berger, la laisse enroulée autour de la main. Derrière, deux autres agents de sécurité traînaient un jeune gars vraisemblablement surpris au milieu d'un voyage intraveineux. Arrivés sur le quai, ils le remirent à des flics plus officiels, habillés en gris. Jacques poussa Monsieur Victor du coude.

— Qui c'est, ceux-là ?

— Les gris... Une sale engeance... On dirait qu'ils sont payés à la pièce ! Ils te ramassent, et direction Nanterre... L'hospice ! La réserve aux paumés ! Si jamais tu es fait aux pattes, un jour, t'assois pas à côté de ces fumiers, dans le car... Tu prends des coups tout le long du voyage, pour pas un rond ! Ils savent que tu ne peux pas répondre...

Les groupes se séparèrent et quittèrent la station, tandis que le courant était coupé dans les couloirs. Monsieur Victor et Jacques laissèrent passer plusieurs minutes avant d'oser s'aventurer hors de leur réduit. Seules quelques rares ampoules jaunes les éclairaient, de loin en loin. Monsieur Victor décela la présence d'autres squatters. Ils en virent un qui triait des mégots, à même le quai. Monsieur Victor marcha jusqu'à l'entrée du tunnel. Il poussa le portillon « Passage interdit — Danger de mort » et descendit les marches qui menaient au ballast. Ses chaussures crissèrent sur le gravier. Jacques hésitait à lui emboîter le pas. Victor se retourna, à demi masqué par l'obscurité.

— Allez, descends... Tu peux marcher où ça te chante, tu ne risques rien, ils coupent le jus pour les équipes d'entretien... Les machines de nuit, ça roule au gas-oil...

Pour bien appuyer sa démonstration, il posa le pied sur le rail distributeur de courant. Jacques n'y prêta pas attention.

— Oui, je me rappelle...

Il pointa le doigt vers le fond du tunnel.

— On va où, par là ?

Monsieur Victor exécuta une révérence empreinte d'ironie.

— Chez moi... Tu es, comme qui dirait, mon invité !

Ils commencèrent par longer trois longs traits noirs sur fond blanc, parallèles, à hauteur d'épaule, signalisation d'une zone à visibilité réduite, suivis d'un cercle noir barré horizontalement. Ils se fiaient, pour progresser, à la lueur de la station suivante dont le mince reflet glissait sur les rails. À mi-chemin, Victor s'arrêta. Il désigna le départ d'un second tunnel, plus petit. Jacques cligna des yeux pour mieux le distinguer, avant de s'y engouffrer à la suite du clochard.

— Vous êtes sûr que c'est par là ? On n'y voit plus rien...

L'odeur de crésyl et de graisse s'estompait au fur et à mesure de leur avance. Jacques ne s'aperçut que tardivement de ce qui lui permettait, maintenant, de suivre Monsieur Victor sans difficulté : son pied malade ne butait plus sur les traverses, n'accrochait plus les rails... Le sol avait été débarrassé de ses deux interminables balafres d'acier. La terre n'en conservait qu'une succession régulière de plaies meubles.

Pour maintenir le rythme, Jacques se fiait au bruit proche des pas de Monsieur Victor et au frôlement de sa paume sur la paroi cimentée. Une longue caresse.

Il lui semblait que l'écho du martèlement de leur marche s'amplifiait. Le clochard stoppa sans prévenir. Il entendait sa respiration, deux mètres en avant... Puis le frottement de l'allumette... La bougie, collée à la paraffine sur un antique signal de block, monta en intensité après une série de soubresauts. Jacques rouvrit les yeux avec précaution et promena son regard prudent sur l'espèce de garage dans lequel il se trouvait. Une ancienne remise à métros, probablement, que les années avaient transformée en dépotoir. Il s'approcha d'un invraisemblable amoncellement de pièces détachées, de boggies, de ressorts, de distributeurs de friandises, pour en extraire une plaque émaillée qui clamait son tiers de message : « DUBO ».

— Tu te souviens de ça ? Il y a une paye qu'ils l'ont effacée des tunnels cette publicité... Personne n'en buvait, mais tout le monde connaissait ! Tiens, toi, t'en as déjà bu, du dubo ?

Jacques reposa la plaque sur le tas de ferraille, sans répondre.

— Où sommes-nous ?

— Pas loin des Grands Boulevards... Au début, ici, c'était le terminus de la ligne 8, Balard-Créteil. Comme ça croisait les lignes 3 et 7, ils avaient aménagé un « tiroir », un bout de ligne, si tu préfères, pour assurer le prolongement de la 8 sans interrompre le trafic... J'en connais pas mal, de ces tronçons abandonnés... Les mecs de la RATP n'y mettent jamais plus les pieds, sauf pour balancer leurs saloperies... Mais tu n'as pas tout vu, arrive...

Ils contournèrent un petit muret qui divisait la

salle en deux. Monsieur Victor ouvrit les bras, triomphant.

— Alors, tu t'y attendais à celle-là ?

Jacques tomba en arrêt devant un tableau inimaginable : une motrice Sprague-Thomson série 100 de la ligne 7 ! Elle avait même conservé son numéro, le M 128. Il détailla le tampon, les chaînes, l'œil de cyclope éteint sous la glace surélevée du conducteur. Une voiture vert épinard, avec ses chiffres romains « II », calligraphiés dans leurs vastes cadres décorés de frises. Il y avait peut-être aussi, loin dans son souvenir, un wagon partagé, moitié rouge, moitié vert, la frontière colorée entre le « I » et le « II »... La peur du contrôleur, quand on passait en voltige de l'un à l'autre...

Il s'approcha de la machine et tenta d'agripper le loquet de la porte en bois. Il lui fallut lever les bras, la voiture étant rehaussée de la hauteur de la fosse, pour actionner le mécanisme. Il se hissa sur le sol du wagon en se servant des ressorts du boggie moteur comme d'une marche. Il accéda du côté des banquettes célibataires, lamelles de bois lustrées par l'usage et inox terni. Il posa la main, par réflexe, autour de la barre d'appui blanche. Rien n'avait changé, en fait. Les pistons huileux de part et d'autre de la porte, les plans de lignes transversaux avec leurs impressions grasses, les trappes de visite découpées dans le sol, les lettres majuscules entremêlées de la Compagnie du Chemin de Fer Métropolitain de Paris, CMP... Il traversa le compartiment et vint se coller, de tout son long, contre la porte vitrée séparant le domaine des usagers du royaume du wattman avec ses cadrans mystérieux, ses contacteurs, ses tuyauteries coudées et, surtout, les deux manettes opposées, accélération et freinage. Le plaisir et la mort... Monsieur Victor le rejoignit dans la voiture.

— Ça te plaît chez moi ? Je dors ici presque toutes les nuits depuis trois mois... On n'est jamais dérangé... Comme tu vois, il y a de la place pour deux...

Il s'installa sur une banquette double et entreprit d'inventorier le contenu de son sac plastique. Il partagea le butin en deux parts égales.

— Viens manger, mon gars, tu feras un tour dans la cabine après !

Jacques attaqua une franquette « omelette-petits pois », les yeux dans le vague. Victor opta pour une portion de McDonald's.

— On ne peut pas dire que tu sois très bavard... Ce serait même le contraire que ça m'étonnerait pas... T'es parisien ?

— Oui, je crois...

— Tu crois, tu crois... C'est pourtant pas difficile de savoir si tu crèches à Paname ou pas ! Moi, je peux te dire que je suis parisien d'adoption... Ça remonte à trois ans, ils vont bientôt pouvoir me naturaliser...

Jacques reposa son sandwich.

— Tu habitais où avant ? Loin ?

Monsieur Victor ingurgita une bouchée de hamburger.

— Plutôt ! Je suis de la Courneuve ! Je viens de chez les Rouges. De la réserve... Tiens, si tu as soif, il y a une bouteille de flotte... Tu connais la Courneuve ?

— Non, je ne pense pas...

— Tu ne perds pas grand-chose ! La seule chose intéressante qu'ils avaient, c'était Mécano. C'est là que je bossais, comme rectifieur... Jusqu'à ce qu'ils me rectifient. Moi et les autres. Six cents qu'on a été, à être foutus à la porte... Joyeux Noël, monsieur Mécano ! Impossible, ensuite, de retrouver du boulot. Passé cinquante piges, tu n'es plus bon à nib... et pas mûr pour la retraite... Quand je bossais, je ne m'en apercevais pas, mais j'étais près du soleil...

— Tu habitais ici, déjà ?

Monsieur Victor faillit s'étrangler en buvant à même la bouteille. L'eau coula dans sa barbe, sur ses vêtements tachés.

— Tu es malade ou quoi ? Quand tu as un boulot, tout le reste va avec : la baraque, la femme, les amis... Trois ans sans toucher un rond, et tu te retrouves à poil ! Ils m'ont lâché morceau par morceau... Maintenant je fais partie de ce qu'ils appellent les « nouveaux pauvres ». Le hic, c'est que je ne me souviens pas d'avoir été riche ! Ça a dû m'échapper... Et toi, qu'est-ce que tu faisais, avant ?

Jacques baissa le regard. Il se recroquevilla sur la banquette de bois verni. Victor haussa les épaules.

— Tu dis ce que tu as envie de dire... Des fois,

ça pèse tellement qu'il vaut mieux rien lâcher. Sinon, après, on a l'impression de ne plus exister. D'être vidé de l'intérieur...

Il se baissa vers les trappes de visite technique du wagon.

— Je planque des couvrantes, là-dedans. Tu en veux une ? Il ne fait pas trop chaud, la nuit...

Jacques accepta. Il s'enroula dans un rectangle de laine kaki et reposa sa tempe sur son coude replié. Le sommeil l'entoura vite alors qu'il imaginait les cahots d'un voyage. Monsieur Victor l'observait. Il se leva et, doucement, recouvrit le corps endormi d'une seconde couverture. Puis il s'installa sur la banquette de face pour veiller sur le repos de son nouvel ami.

Plus tard dans la nuit, des éclairs saccadés strièrent les parois de leur refuge, en même temps qu'un impressionnant bruit de roulement emplissait le silence. Le vacarme se prolongea par une interminable note déchirante. Jacques se dressa sur la banquette, réveillé en sursaut. Monsieur Victor n'avait pas bougé d'un centimètre.

— T'inquiète pas, c'est le rectifieur de rail... Ils le font passer tous les mois, pour le profil des courbes... Ensuite on aura droit à l'aspiro et peut-être bien au métro-béton, celui qui rebouche les fissures... Ils n'ont pas le temps de s'amuser entre une heure et cinq heures du mat'... Le principal, c'est qu'ils nous laissent tranquilles... Dors encore un peu, il est à peine deux heures...

Ce fut au tour de Jacques de veiller sur le sommeil de son compagnon. Il s'en voulait d'avoir dormi sans crainte, de s'être abandonné... Il repensa au poste de pilotage de la rame, mais l'envie de grimper dans la cabine de commande du Sprague l'avait quitté. Le temps s'écoulait sans qu'il ait conscience de l'heure.

Soudain Monsieur Victor fut debout, passant sans transition de l'immobilité absolue à l'activité fébrile.

— Allez, debout ! Secoue-toi un peu... Il faut se tirer d'ici avant qu'ils remettent le courant. Sinon, on est bon pour rester toute la journée dans ce trou !

Il s'étira, brossa ses vêtements et se mit à plier les couvertures avant de les enfouir dans les trappes de visite.

Ils refirent en silence le chemin de la veille. Les quais de la station Opéra étaient faiblement éclairés, comme si le temps s'était arrêté. Ils s'approchèrent du poste d'incendie. L'embout de cuivre du tuyau dissimulait le robinet. Jacques s'aspergea le visage d'eau fraîche tandis que Monsieur Victor, délicat, procédait à une toilette plus complète, au moyen d'un carré de tissu et d'un minuscule morceau de savon.

Ils finissaient tout juste, quand les lumières se rallumèrent pour mettre en scène une nouvelle journée d'exploitation. Le premier métro grondait au loin, dans le tunnel. Dehors, on ouvrait les grilles contre lesquelles se pressaient les ouvriers des équipes du matin. Tous les horizons d'un peuple fédérés par le passeport orange.

La rame entra en station. Monsieur Victor prit

81

soin de s'essuyer et monta dans le wagon de première. Il demeura debout, sur le seuil, encadré
par les portes automatiques, en attendant le départ. Jacques lui faisait face, sur le quai.

— On s'entend bien, tous les deux : j'arrête
pas de parler, et toi, tu n'en décroches pas une !
On peut se revoir ce soir... J'ai du boulot jusqu'à
onze heures... Disons minuit, à Botzaris... Ça te
va ?

La sonnerie précédant la fermeture des portes
retentit.

— D'accord, j'y serai.

Monsieur Victor lui adressa un clin d'œil et
recula.

— Je te réserve une surprise...

Les portes claquèrent. Jacques vint s'asseoir
sur le banc, comme pour assister au départ du
métro, la tête fixe, les yeux perdus dans le vague,
sa silhouette incrustée entre les seins gigantes-
ques d'une femme sans visage.

CHAPITRE VII

Michèle Fogel s'était levée très tôt. Les embarras de la veille lui avaient servi de leçon : elle passa un jean, un corsage et une veste légère en forme de saharienne. La météo parlait de températures « de type caniculaire ». Elle ferma la porte de l'appartement, ses chaussures à la main. Les petites dormaient encore. Une voisine de palier, toujours la même, se chargeait de les aider à se préparer.

Paris commençait à s'agiter. Elle but un café dans un vieux troquet du Marais puis rejoignit, à pied, la place de la Bastille. Aucune trace d'énervement, encore, sur les traits des passants qu'elle croisait. Sur la passerelle, un vent léger fit remonter jusqu'à elle des odeurs écœurantes de crustacés et de coquillages échappées des poubelles du restaurant de l'Arsenal.

L'équipe de nettoyage occupait son bureau. Elle attendit dans le couloir que le rituel du vidage des cendriers prenne fin. Elle appela l'inspecteur Deligny au téléphone. Une voix de femme ensommeillée l'informa que l'inspecteur était en chemin. Elle en profita pour lire la note de synthèse qu'il avait rédigée le soir précédent. Aucune originalité de style, le langage modelé par l'administration avait atteint son but suprême : l'uniformité.

La piste la plus probable semblait être celle d'un homme mal habillé, assez jeune et de carrure sinon imposante, du moins supérieure à la moyenne. Plusieurs témoins avaient également remarqué le manège bizarre d'une jeune femme brune. Elle terminait l'examen du document quand Alain Deligny s'annonça. Il lança un gros paquet de journaux sur son bureau.

— Déjà au travail ?

— Oui, je vous attendais. La journée va être rude...

Elle montra le rapport.

— ... D'après vous, il ne reste que deux hypothèses... Cette femme mystérieuse et le gars mal fagoté... C'est ça ?

— Oui. Nous avons éliminé le petit homme en costume. Il faisait partie des témoins interrogés en seconde main. Il est hors de cause. Un représentant en bouquins de luxe, genre cercle des bibliophiles... Il prospecte le quartier depuis une semaine. Sa boîte nous a fourni la liste des gens à qui il a rendu visite.

Le commissaire approuva. Deligny n'usurpait pas sa réputation d'efficacité.

— Il faut qu'ils continuent leurs interrogatoires   L'histoire de la bombe a fait un sacré bou-

can dans les ministères tout en n'explosant pas...
Depuis les attentats de la rue Marbeuf et de la
rue des Rosiers, ils ont la phobie de la guerre
civile ! Nous devons identifier le pousseur et sa
victime à tout prix. Le chef de cabinet du préfet
estime, et vous savez que quand un de ces fonctionnaires « estime », ça ne vient pas de lui, donc
il estime que c'est la seule façon de calmer l'opinion. On nous laisse tout de même quelques
heures...

— S'il faut calmer l'opinion, autant commencer par la presse ! Ils se jettent sur l'occasion
pour vendre un maximum de papier. Une aubaine pour les rédactions, à la veille des vacances !

Michèle Fogel leva la tête de ses notes, l'air
intéressé.

— Vous avez les journaux ? Qu'est-ce qu'ils
racontent ?

Alain Deligny déplia le rouleau de papier imprimé.

— Je les ai lus en diagonale... Ils ne se fati-
guent pas trop dans leurs comités de rédaction :
quand tout va mal dans le métro, c'est notre faute. Normal. Il suffit que l'on évite une catastrophe pour qu'ils en attribuent le mérite au premier
venu ! Cette fois, ils décernent la médaille au
« POUSSEUR DU CHÂTELET ». Un véritable héros,
selon eux... Fantômas peut aller se rhabiller !

Michèle Fogel amorça une grimace et joua la
déception.

— « Le pousseur du Châtelet »... C'est tout ce
qu'ils ont trouvé ?

L'inspecteur détacha le premier titre du lot.

— Rassurez-vous, il y a de la variété ! *Le Quotidien* fait dans le polar : « ANGOISSE EN SOUS-SOL », *Le Matin* se risque à l'humour : « FAUSSE NOTE AU CHÂTELET », tandis que *France-Soir* paraphrase un titre de Hugo : « UN POUSSEUR MYSTÉRIEUX SAUVE PARIS »... La palme revient à *Libération* ; ils n'ont pas hésité : « LE GESTE QUI SAUVE ! »... Il n'y a que *L'Humanité* qui ne titre pas en Une sur l'attentat. Ils se contentent de relater les événements en page « faits divers », plus une interview du ministre des Transports, Fiterman, qui rend hommage aux employés de la RATP...

— Laissez-moi toute cette paperasse. J'y jetterai un coup d'œil tout à l'heure... C'est pas bien méchant, dans l'ensemble. Et ça le deviendra d'autant moins que nous prouverons notre efficacité. Tout d'abord, vous faites annuler les congés de tous nos hommes pendant une semaine. Deuxièmement, on laisse les camelots tranquilles, ainsi que toute la panoplie des petits délinquants... Je veux qu'on nous voie...

Elle fouilla dans sa poche de jean et tendit un ticket de métro entre le pouce et l'index.

— ... Je veux un maximum de présence dans les couloirs, dans les rames... Il faut donner l'impression que les flics sont aussi nombreux, en sous-sol, que ce rectangle de carton ! Compris ?

Alain Deligny ne semblait pas convaincu.

— D'accord, on va faire de la figuration pendant une bonne semaine, crever les hommes, se foutre des tas d'heures supplémentaires, de récupération sur le dos... Pendant ce temps-là, la faune habituelle aura tout le loisir de se réorganiser... Ce qu'on a réussi à obtenir après un an d'efforts sera anéanti !

Michèle Fogel se leva et vint s'accouder à la fenêtre ouverte sur les quais de la station Bastille. Elle laissa la rame immobile se remplir de voyageurs et s'éloigner vers le tunnel.

— Les trois millions de personnes qui transitent chaque jour dans ces wagons n'hésiteraient pas longtemps entre la trouille de se faire dévaliser et celle de mourir noyées entre Châtelet et Cité ! Aujourd'hui du moins... Elles sont encore sous le choc... Demain, ce sera sûrement le tire-lacet de banlieue qui reprendra la première place... L'exceptionnel ne fait pas le poids contre le quotidien ! N'empêche que vous faites ce que j'ai dit : on calme le jeu sur les vendeurs d'avocats à la sauvette, et on met le paquet sur la surveillance. On marque notre présence... Faites établir un planning par station, en conséquence.

L'inspecteur s'apprêta à partir du bureau. Il se retourna brusquement.

— Je ne peux pas commencer les roulements avant quatre heures, cet après-midi...

— Vous vous foutez de moi ou quoi ? Ça doit démarrer dès ce matin... Vous avez déjà entendu parler de psychologie, Deligny ? Il y a des centaines de milliers de personnes qui vont descendre, d'ici quelques heures, dans ce fichu tube, et que croyez-vous qu'elles vont lire pendant le trajet ?

LE JOURNAL ! Si, en regardant sur les quais, à chaque arrêt du métro, elles croisent des yeux surmontés d'un képi, tout ira bien... Dans le cas contraire, c'est vous qui irez rencontrer les émissaires du préfet ! Les roulements, je les veux à partir de neuf heures. Aujourd'hui !

— Vous oubliez l'enterrement...

L'inspecteur avait prononcé sa phrase très doucement, d'une voix timide. Michèle Fogel se figea, interloquée.

— Quel enterrement ?

— Celui de nos deux collègues... Les syndicats appellent à un arrêt de travail en leur hommage. De onze heures à treize heures. Tout le monde compte participer à la cérémonie organisée par le Ministère de l'Intérieur dans la cour d'Honneur de la préfecture...

Michèle Fogel se prit la tête à deux mains.

— Il fallait que ça tombe aujourd'hui ! On ne va tout de même pas les réquisitionner...

— Non, et je ne pense pas que ça servirait à grand-chose.

— Ah oui ? Pourquoi ça, inspecteur ?

Alain Deligny évita le regard du commissaire braqué sur lui.

— Parce que les hommes sont décidés à y aller. Tous ensemble.

— Vous aussi, Deligny ?

Il rougit légèrement, surpris par sa propre audace.

— Oui, je crois...

Michèle Fogel se rejeta contre le dossier du

fauteuil et appliqua ses paumes sur le dessus du bureau.

— Eh bien moi, je resterai ici, inspecteur ! Qu'on en tire les conclusions que l'on veut ! Mais je pense que notre place, en ce moment, est à notre poste de travail...

— Deux camarades sont morts assassinés...

— Oui, c'est vrai... Je dois vous rappeler que des dizaines de milliers de Parisiens risquent leur vie en se rendant à leur travail. Nos deux collègues sont morts en service. Notre plus bel hommage serait de poursuivre la tâche entreprise. Et puis, à la fin, quand on devient flic, on sait à quoi on s'expose ! On ne vous l'a pas imposé votre flingue, Deligny ?

— Non, mais quel rapport ?

Le commissaire secoua la tête d'un air désolé.

— Quel rapport ? C'est simple pourtant. Si on vous donne un flingue, que l'on vous apprend à vous en servir, il est évident que ce n'est pas seulement pour des raisons d'esthétique, pour la beauté du geste ! Le métier de flic contient le risque de passer pour une cible. Ou de dégommer un inconnu, de sang-froid... Des policiers sont tués, des policiers descendent des civils... Il faudrait faire la part de l'affolement, de l'inexpérience et arrêter, chaque fois, de rejouer un épisode de la bataille d'Alger !

— Je ne vous conseille pas de tenir ce langage devant les hommes de la brigade...

— Il faudrait pourtant en avoir le courage ! L'année dernière, huit policiers sont tombés, dans diverses circonstances. Huit fois on a organisé une grande cérémonie. Les officiels se sont déplacés en nombre dans la cour de la préfecture pour voir le Ministre de l'Intérieur accrocher la Légion d'Honneur sur le drapeau tricolore qui recouvrait le cercueil. Très bien. Au cours de la même période, il y a eu mille cinq cents morts par accident du travail ! Et je n'ai jamais vu un Ministre des Travaux Publics se pencher sur le catafalque d'un maçon mort à la tâche. Quand on y pense, pourtant, la mort d'un maçon est cent fois plus injuste que celle d'un homme qui, par le choix de son métier, a pris le risque d'une mort violente.

Alain Deligny hésita avant de lancer.

— Je ne peux pas être d'accord avec vous. D'un côté il s'agit d'assassinats de policiers, de l'autre d'accidents du travail. Regrettables, c'est un fait, mais des accidents tout de même.

— Oui, c'est comme cela qu'on les classe, statistiquement, des accidents du travail. Nous, nous nous sommes fabriqué une catégorie bien à part : « Les victimes du devoir ! » Enfin, tout ça ne me dit pas combien il me restera d'effectifs pour assurer la sécurité du métro ! Vous pouvez me dresser un état, heure par heure ?

— C'est assez simple : l'essentiel de la brigade assistera à la cérémonie, jusqu'à treize heures. Ensuite le syndicat indépendant, qui est majoritaire, appelle à une manifestation symbolique devant la Chancellerie.

— Et tout cela dans la plus parfaite illégalité !

Les syndicats décident de l'emploi du temps des fonctionnaires de police qui, je dois vous le signaler, ne bénéficient pas du droit de grève ! Qu'est-ce que je dois faire ? Créer un corps de volontaires ?

L'inspecteur se sentit obligé de répondre.

— Tout nous tombe sur le dos, d'un seul coup... Je sais bien qu'ils vont trop loin, mais ce serait très maladroit de consigner les hommes... Il existe un réel climat d'insatisfaction, aussi bien chez nous que dans les commissariats. C'est ressenti de manière plus vive par la brigade du métro... Il faut admettre que le travail est encore plus dur qu'ailleurs...

La sonnerie du téléphone l'interrompit. Michèle Fogel décrocha et lui passa l'appareil.

— C'est pour vous, inspecteur. Un témoin important qui se manifeste. À une heure pareille, ça tient de l'exploit !

Alain Deligny prit la communication, parlant par bribes.

— Non, je ne peux pas recevoir votre déposition par téléphone... Je vous assure que non... Ça ne se fait pas... Aux États-Unis, peut-être, mais pas en France... Oui, pas encore, ça viendra... Oui, boulevard Bourdon, je vous attends.

Il raccrocha le combiné.

— Elle prétend répondre au signalement de la femme pressée que divers témoins ont mentionnée dans leurs dépositions. Au téléphone, j'ai vraiment eu l'impression de tomber sur une hys-

91

térique... Je suis impatient de la voir ! Et elle s'appelle Isabelle !

— Comment a-t-elle appris que nous avions une femme sur nos tablettes ?

Alain Deligny montra les journaux du doigt.

— L'article du *Matin* lui consacre un paragraphe... Ils ont dû surprendre une conversation...

— Ou plus sûrement acheter des confidences ! Arrêtez un peu de jouer les naïfs, inspecteur, sinon vous finirez par passer pour un con !

Le seul moyen qu'il trouva pour sauver la face fut de sortir du bureau en maugréant.

— Mon témoin ne va pas tarder, je vais l'attendre dehors.

Isabelle ne le fit pas patienter bien longtemps. Elle émergea d'un taxi dans un froissement de tissus multicolores. Elle avait tout de la bohémienne, les espadrilles, les boucles aux oreilles, les bagues, les colliers, la taille souple. Sauf les cheveux, blonds et raides. Elle s'extasia sur la pauvreté du décor et avoua qu'elle imaginait la police mieux lotie.

L'inspecteur la laissa se familiariser avec l'humble cadre de son travail avant de lui faire remarquer que les témoins de la veille signalaient la présence d'une jolie brune et que, s'il ne pouvait mettre en doute sa beauté, force lui était de constater la blondeur de sa chevelure. Elle se contenta de dire qu'elle s'attendait à celle-là et tira de son cabas une perruque brune dont elle s'affubla tout aussitôt.

Alain Deligny ne demandait qu'à comprendre. Elle fut assez aimable pour accéder à son désir.

En fait, elle avait passé une annonce « Chéri » ainsi rédigée :

« Réalisatrice, trente-deux ans, jolie et brune, cherche à identifier un homme pour rôle important dans sa vie. En noir et blanc ou en couleurs. Court, moyen et même long métrage envisageable. Scénario imprévu à élaborer ensemble. Onirisme bienvenu mais tragédie exclue. Débutants acceptés. Se présenter à Châtelet, direction Porte d'Orléans, à partir de midi. »

Elle lui tendit le journal pour accréditer sa bonne foi. Elle s'amusait ainsi, de temps en temps, à essayer de reconnaître dans la foule les figurants fugitifs de sa vie, scrutant leurs regards, leurs interrogations muettes, prête d'un geste vif de la main à se perdre en blonde au milieu des voyageurs.

CHAPITRE VIII

Hervé Chalion et Robert Portac arpentaient les couloirs de la station Denfert-Rochereau. On leur avait adjoint un troisième compagnon, Yves Bertin, un tout jeune flic embauché sur le budget supplémentaire de 1981 ; les hirondelles roses ! comme on les surnommait... ils fonctionnaient à deux plus un plutôt qu'à trois, le dernier venu en remorque.

Robert Portac occupait le centre du tunnel, ses épaules larges légèrement rehaussées. Il lissa sa moustache puis inclina la tête vers Chalion.

— Tu y vas comment à la manifestation, cet après-midi ?

— En bagnole, sûrement... Je suis invité chez un pote, ce soir. Il habite en banlieue. Il faut que je fasse un crochet pour prendre ma femme à la sortie de son boulot. Je peux t'emmener, si tu veux ?

— Oui, il faut surtout pas manquer ça ! On va leur montrer ce que ça vaut, les flics ! J'en ai marre de l'humanisme bêlant... Ils nous tirent comme des lapins... En 44, au moins, on avait le droit de riposter. Maintenant, il faut fermer sa gueule sous peine de sanctions !

Il pointa le pouce vers l'arrière.

— ... Il y en a que ça arrange ; les lopettes à la sauce Defferre. Si on leur demandait de se peindre une cible sur le ventre, ils s'en rajouteraient une au cul !

Chalion se mit à rire. Ils arrivaient dans le goulot, à l'intersection des directions Montreuil, Orléans et du RER. Les lumières, privées de leurs caches, scintillaient et jetaient un éclairage cru sur les gens qui déambulaient dans une anarchie apparente. Tout semblait calme, habituel. Ils continuèrent leur ronde en se dirigeant vers la ligne 6, terminus Étoile-Charles-De-Gaulle. Un Nord-Africain remontait le couloir, seul, le sourire aux lèvres ; un vieil homme au visage plissé par mille rides cuivrées. Il avait sorti le costume des grands jours, un complet trois pièces, marron-rouge, dont les jambes de pantalon tombaient en accordéon sur d'épais souliers vernis.

Comme pour aggraver son cas, il portait à bout de bras une large valise en carton bouilli, du genre de celles qu'on achète sur les trottoirs de Barbès-Rochechouart, avant le retour au pays, pour les bourrer de cadeaux estampillés Tati.

Les deux flics se poussèrent du coude. Robert Portac lança Hervé Chalion en éclaireur. Il accéléra le pas et s'arrêta à trois mètres de l'immigré qu'il toisa longuement, sans un mot. L'homme ralentit tout d'abord puis s'arrêta à son tour, inquiet. Il posa la valise et interrogea Chalion du regard. Le policier lui donna un ordre bref.

— Arrête-toi.

Le vieil homme haussa les épaules, humblement, pour faire remarquer qu'il ne marchait déjà plus.

— Qu'est-ce qui se passe, messieurs la police ?

Robert Portac se porta à sa hauteur.

— Ce n'est pas toi qui poses les questions, ici ! Qu'est-ce que tu trimbales là-dedans ?

L'homme se baissa vers son bagage, l'air craintif.

— Il n'y a rien, juste une valise...

Portac se tapa la tempe du plat de la main.

— Une valise ! Elle est bien bonne ! On voit bien que c'est une valise... Tu nous prends pour des demeurés ? Si c'était une chèvre, elle marcherait toute seule ! Ce que je te demande, c'est de l'ouvrir... À moins que tu préfères qu'on s'en charge ?

Quelques personnes marquèrent le pas en parvenant à la hauteur du groupe. Elles jetaient un regard rapide sur les policiers, détaillaient ensuite les traits de l'homme contrôlé et reprenaient leur allure initiale, rassurées. Un seul crut bon d'insister davantage : il fronça les sourcils. Hervé Chalion évita à son collègue la répétition de l'ordre.

— Alors, tu l'ouvres ou quoi, ta valise ?

Le vieil immigré prit une voix implorante qui n'eut pour effet que d'irriter un peu plus les policiers.

— Je vous jure, c'est rien que du linge...

Robert Portac ne le laissa pas finir.

— Oui, on la connaît, celle-là ! Les mousmés qui planquaient des pains de plastic dans les couches merdeuses de leurs mômes, ça nous a servi de leçon...

Le troisième policier, Yves Bertin, resté silencieux jusque-là, tenta de s'interposer. Il adopta un ton qu'il voulait conciliant mais qui apparaissait comme celui de la lassitude, de la fatigue.

— Laissez-le passer, il n'a pas l'air bien méchant...

Robert Portac se montra sarcastique.

— Parce que, maintenant, tu vois à travers les valises ! Il nous avait caché ça, le père Gaston, qu'il nous envoyait des flics équipés de laser...

— Je veux simplement dire que si ce type baladait vraiment une bombe dans sa valise, on ne serait plus là pour en parler !

Ce fut au tour d'Hervé Chalion d'intervenir. Il approcha son visage de celui d'Yves Bertin qui pouvait sentir son onde de chaleur aux relents de sueur.

— De quoi tu te mêles ? Tu es là pour renforcer l'équipe, pas pour nous tirer dans les pattes et prendre la défense de ces salauds !

D'autres personnes s'étaient arrêtées, intriguées par le spectacle inhabituel d'un trio de flics s'engueulant sous les yeux étonnés d'un immigré. Yves Bertin semblait ne pas se rendre compte de l'intérêt qu'ils suscitaient. Il éleva la voix.

— En tout cas, je ne suis pas là pour vous aider à faire votre sale boulot !

Portac chercha une phrase définitive.

— Au moins tu as bien choisi ta couleur, le rose, c'est parfait !

L'homme profita du fait qu'il n'était plus le centre du conflit pour ramasser son bagage.

— Je peux partir, messieurs la police ? Vous n'êtes même pas d'accord entre Français...

Robert Portac souleva son képi. Le bord de la coiffe laissa une marque circulaire dans ses cheveux noirs et humides.

— Toi, Mohammed, la ferme ! Reprends ta valise et tire-toi. Vite ! Qu'on ne te revoie plus dans le secteur...

L'immigré s'éloigna sans demander son reste, heureux de s'en sortir à si bon compte. Les badauds se dispersèrent et se mêlèrent au flot des usagers, s'y confondant. Seul un couple aux allures de vieux étudiants, tenues décontractées mais de bon goût, s'attarda sur le lieu de l'incident. La jeune femme, un sac de toile blanche, « Protennis » imprimé rouge, passé négligemment sur l'épaule, se tourna vers son compagnon.

— C'est scandaleux ! Il suffit d'avoir les cheveux bouclés pour être en butte aux tracasseries policières... Mai 68, en fait, n'a rien changé... Cela doit nous interpeller !

Le jeune homme était occupé à rouler son *Nouvel Observateur* pour le glisser dans le coin de sa serviette de cuir.

— Effectivement, ça nous interpelle tous, quelque part... C'est à mettre en rapport avec le phénomène Le Pen, la banalisation dans le quotidien... Non ? Lis l'édito de Jean Daniel, tu verras, c'est clair à ce propos...

Ils firent quelques pas, au ralenti, gênant les voyageurs qui étaient pressés de partir ou d'arriver et ceux qui l'étaient pour se donner une contenance. La jeune femme réfléchit un court moment.

— Je suis d'accord avec toi, mais quand même, au niveau du vécu, l'Occupation, les tireurs fous, ça devrait faire écran !

Il sourit, sûr de lui.

— Tu parles ! La mémoire collective a explosé ! Les jeunes, dans les lycées, tout juste s'ils connaissent De Gaulle... Tu veux que je te dise ce que je pense ? La France a besoin d'une psychothérapie de groupe !

Ils tournèrent au fond du couloir et franchirent la limite fatidique qui les excluait du réseau.

Hervé Chalion essuya le bord intérieur de son képi. D'un brusque mouvement de tête vers l'arrière, il rejeta les mèches désordonnées qui subsistaient sur le devant de son crâne. Les rares cheveux blond filasse s'amalgamèrent aux perles de sueur. Il se sentait fort dans l'ombre de Robert Portac. Tous les deux, ils faisaient bien la paire. Portac était aussi brun, pileux, musclé que lui était blond, imberbe et rond.

Il se colla contre Yves Bertin, les lèvres pincées.

— Toi, ne t'amuse plus jamais à ce petit jeu-
là... Ils ont vraiment embauché que des pédés...

Bertin changea de physionomie. Il détailla
Chalion des pieds à la tête, insistant sur sa calvi-
tie galopante. L'insulte ne voulait pas descendre.

— Répète un peu ?

L'autre recula précipitamment et chercha la
protection de son collègue. Portac prit le relais.

— Si tu veux jouer les gros bras, il faudra te
lever de bonne heure ! Hervé a raison... Tes po-
tes des ministères, ils avaient passé la consigne
aux cocos de leur fournir cinq ou six cents bons-
hommes... Soi-disant pour épurer la police ! Ils
n'ont pas réussi à en aligner le dixième... Tu parles de patriotes... Probable qu'ils préfèrent rester
au chaud, à toucher les Assedic.

Yves Bertin marqua son impatience.

— Je ne vois pas le rapport avec ce vieux que
vous emmerdiez.

— C'est simple, pourtant : comme ils n'ont
trouvé personne, ils ont pris n'importe qui. Le
premier qui avait besoin d'un costume sur mesure... Alors, un conseil : tu balades tes breloques,
si ça te fait plaisir, mais tu fermes ta grande
gueule et tu marches trois pas derrière... Ça sera
préférable pour toi : des pousseurs, tu sais, il n'y
en a pas qu'à Châtelet...

À onze heures pile, les cloches voisines de Notre-Dame sonnèrent à toute volée. Les lourdes
grilles de la préfecture de Paris s'entrouvrirent
pour le cortège des voitures noires apportant les

100

cercueils des deux policiers abattus. D'autres véhicules suivaient, les officiels et les familles. Dans la vaste cour pavée, tous les corps étaient représentés, les gardiens de la paix en premier lieu, les CRS, les gendarmes, les gardes mobiles, les inspecteurs, les commissaires. La hiérarchie administrative, la hiérarchie syndicale, côte à côte, pour le même hommage.

Un murmure grave parcourut la foule quand l'une des veuves apparut, cassée en deux par le chagrin. Elle avança jusqu'au dais gris rehaussé des seules initiales des victimes, soutenue par ses enfants.

Une *Marseillaise* sombre se répercuta sur les façades. Tous les visages se fermèrent pour la communion patriotique. La dernière note vibrait encore que l'on se précipitait vers les veuves, sous le crépitement des flashs. Defferre, Franceschi, Chirac, tour à tour la main dans le noir...

Au micro, un orateur en panne d'inspiration tentait d'atténuer la pénible impression de racolage.

« Le gardien de la paix Eugène Pontar est cité à l'ordre du mérite. C'était un policier dynamique et courageux dont la haute conscience professionnelle faisait l'unanimité de ses chefs... »

Le drapeau qui recouvrait le cercueil s'étoila de la Légion d'Honneur, de la Médaille d'or pour acte de courage et de dévouement, de la Médaille d'Honneur de la police, enfin, de la Médaille de la Ville de Paris. Et de larmes...

La même voix, après un temps de recueillement, rendit hommage à la seconde victime, Jean-Pierre Mabur. Un long roulement de tambour ponctua l'énoncé de ses mérites avant que la sonnerie aux Morts ne porte l'émotion à son paroxysme.

Le Secrétaire d'État à la Sécurité gagna la tribune. Les feuillets du discours se plaquèrent un à un sur le pupitre tendu de noir tandis que des mouvements divers agitaient la foule.

« Ils connaissaient les dures servitudes de leur métier... »

Les premiers sifflets, discrets, fusèrent. Les officiels, les hiérarchies, inclinèrent la tête vers les rangs serrés de gardiens.

« ...les graves et nombreux risques qu'il comporte... »

L'impatience se faisait plus grande à chaque mot prononcé. Le Secrétaire d'État sentit le danger, la nervosité croissante. Il abrégea son discours et donna l'ordre de départ aux conducteurs des corbillards. Ils quittaient à peine le périmètre d'Honneur que des cris s'élevaient, repris par des vagues successives de policiers :

« Badinter démission », « Badinter démission ».

Le carré de ministres et de hauts fonctionnaires s'étiola, chacun se précipitant vers son véhicule de fonction. Le cortège traversa la foule en uniforme, sous les huées :

« Enculés », « Assassins ».

Robert Portac repéra le secrétaire général de la Fédération autonome des syndicats de police, escorté par une dizaine de gardes du corps. Il le montra à Chalion.

— Regarde-le, le gros... Il n'est pas très fier, aujourd'hui !

Les gros bras enfournèrent le secrétaire dans un couloir et bloquèrent l'entrée pour protéger sa fuite. Maintenant, le flot des policiers se répandait dans le Marché aux Fleurs, la Brigade du métro aux avant-postes. Deux mille poitrines scandaient « Vengeons nos collègues », au rythme des sifflets à roulette et des sirènes des voitures pie garées jusqu'au Pont au Change. Sur la place du Châtelet les attendait une délégation du Front National. Une demi-douzaine de vieux briscards, mal remis de trop de guerres perdues, entourés de jeunes gars aux cheveux ras, sanglés, malgré la chaleur, dans des impers verdâtres ou des blousons bleu marine, la manche droite ornée du blason tricolore.

La manifestation absorba le renfort et longea la Seine. Le premier cordon de gardes mobiles, près de la rue de Castiglione, céda sans trop de difficultés. Le second, rue Saint-Honoré, fut emporté en plein délire. Les hommes de la CRS numéro 7 rompirent les rangs pour fraterniser avec les policiers en colère.

« Badinter salaud, le peuple aura ta peau ! »

Les casques se mêlèrent aux calots et aux képis pour une folle embrassade. En moins de dix minutes, les manifestants atteignirent les grilles du Ministère de l'Intérieur. Un homme seul, en faction dans la cour, gardait les bâtiments.

— Allez, ouvre-nous... On est tous là...

L'homme de guet approcha son visage rond et rouge des volutes de fer ouvragé. Il avait un fort accent méridional.

— Je ne peux pas... Ils sauront que c'est moi.

Robert Portac se porta en avant.

— Ils ne pourront rien contre toi... On est les maîtres... Ouvre !

Le flic hésita.

— Non, ce n'est pas possible... Il faut me comprendre... Je suis de tout cœur avec vous, mais ce n'est pas possible.

Puis il se réfugia dans la salle de garde tandis que trois cars de gardes mobiles remontaient l'avenue de Marigny. On perçut un net flottement qui s'accentua quand les gardes mobiles descendirent des cars, en grande tenue, les fusils lance-grenades à la main. La manifestation se dispersa spontanément, sans même qu'un orateur appelle à la dislocation, comme si l'on se rendait compte, tout à coup, de l'énormité de ce qui s'était joué : il suffisait de se retourner pour apercevoir, derrière les hauts murs du Faubourg Saint-Honoré, les toitures du Palais de l'Élysée.

Vers quatre heures et demie Hervé Chalion récupéra sa fille, à l'école, puis sa femme qui travaillait dans une boîte de secrétariat, près de l'Opéra. Ils dînèrent à Vitry, chez des amis avec qui Hervé s'engueula mollement à propos des événements du début d'après-midi. Ils finirent par se mettre d'accord sur le choix du programme télé : Hervé Chalion aimait bien François Maistre, son copain adorait Michel Lonsdale. Ils regardèrent *Section Spéciale*, un film de Costa Gavras, sur la Une, opérant des incursions à la télécommande sur la Deux où Ève Ruggieri se faisait Rossini, pour plaire aux dames. Pendant le journal, Chalion crut apercevoir Robert Portac derrière le bras tendu d'un flic, sur fond de *Marseillaise*.

CHAPITRE IX

Jacques se laissa bercer par la rumeur du voyage. Tout ce qui lui paraissait, une minute plus tôt, irritant, le cliquetis des loquets, le hurlement des virages, les secousses des départs, se fondait en une sorte de brouillard de sensations. Un état cotonneux, neuroleptique.

Il baissa les paupières pour se replonger dans le Grand-Huit souterrain, se prenant pour un Gillette Contour au menton savonneux. Ah, ah, ah...

La lumière, soudaine, colora le voile de peau qui obturait ses yeux. Il compta les secondes, après l'arrêt à Jaurès, avant de les ouvrir, d'un coup, sur l'ancienne barrière d'octroi coincée entre les piliers de la ligne aérienne.

Il descendit à Stalingrad, sans trop savoir s'il agissait au hasard. Il ne se souvenait pas de couloirs aussi longs, aussi gris.

Sur le quai de la ligne sept, un môme apprenait une partition en imitant le solo de guitare avec la bouche ; les boots marquaient le tempo. Il s'assit près de lui pour écouter la mélodie mais le gamin fut pris d'un brusque accès de timidité. Il referma son livret en rougissant.

Jacques laissa passer plusieurs rames puis il se décida à prendre place dans un wagon, face à un couple qui, plans en main, comparait les avantages respectifs de deux studios qu'ils venaient de visiter.

Crimée...

Il s'était assoupi. Le départ de station, heurté, le réveilla. Le couple avait disparu. Crimée... Il se jeta sur la porte, manœuvra le loquet, sans résultat. Il se sentit pris au piège et se mit à respirer bruyamment, le profil écrasé contre la vitre. L'illumination de la halte s'estompa. Une odeur de ciment humide, d'égout, s'installa dans la voiture arrivée au milieu du tunnel, marquant la proximité du canal Saint-Denis. Jacques leva la tête et suivit du regard le déroulé de la ligne. Châtelet, Stalingrad, Crimée... Corentin-Cariou... il ne parvint plus à détacher ses yeux de ce nom avant qu'il apparaisse, en lettres capitales blanches sur fond d'émail bleu. Il descendit, face à une série d'armoires métalliques grises, en même temps qu'un groupe de Noirs dont les longs cheveux tressés débordaient des casquettes en tricot multicolore. Il s'écarta pour les laisser passer. Il s'assit sur le banc de bois marron qui courait le long du quai et, pour meubler son attente, il se mit à détailler les carrés bloqués dans leurs cadres de céramique : « 127 vins de Pays. Tous uniques, tous différents », « Contraception, où en est-

107

on ? », « Vos yeux méritent l'attention d'un vrai professionnel », « C'est facile, et ça peut rapporter... 20 ans ».

De vieux caténaires orphelins de leur fil subsistaient au centre de la voûte.

Un homme d'une trentaine d'années, très brun, le visage coupé par une fine moustache noire, apparut dans l'entrée demi-circulaire. Il posa l'étui à guitare qu'il portait, à ses pieds et, sans hâte, rangea un carnet de tickets dans son portefeuille. Jacques observa le pantalon gris, la veste bleu marine puis il se leva.

L'homme venait de glisser le portefeuille dans une de ses poches intérieures. Il reprit son étui à guitare et s'approcha de la fosse. Jacques vint prendre place derrière lui. Personne ne semblait s'occuper d'eux. La rame s'annonça, les deux yeux lumineux avalèrent les derniers mètres de tunnel. Jacques sentit son cœur accélérer son rythme tandis que la motrice ralentissait son allure. Ses mains quittèrent ses poches et ne rencontrèrent que le vide...

Un vieux bonhomme venait de couper au plus court, forçant l'homme aux cheveux bruns à se déplacer pour lui céder le passage. Puis il se réinstalla, les pieds plantés de chaque côté de l'étui à guitare. Il alluma une cigarette.

Une nouvelle rame prenait son élan vers la Porte de la Villette. Jacques inspira profondément, il concentra son regard sur le dos puissant qui tendait le tissu bleu. La pointe de l'étui mordait la ligne blanche. Les tennis de Jacques faisaient comme deux rappels de la frontière. Il prit appui sur sa jambe valide tandis que le métro projetait son ombre mouvante dans la fosse.

Patrick Monnet tenait les manettes depuis le départ de la Mairie d'Ivry. Il conduisait sous le contrôle de Roger, un vieux de la vieille qui avait connu l'époque du cornet acoustique, avant que le timbre monocorde, un vrai truc de bagnole, ne porte un coup fatal à la mythologie sonore du métro ! Patrick venait de terminer son stage au Centre d'Instruction de la Gare du Nord, sur l'ancienne boucle abandonnée de la ligne 5.

Roger le toisa. Il ne put s'empêcher de marquer sa question d'une pointe d'ironie.

— Alors, comme ça, t'as eu ton permis métro !

Patrick quitta les rails et les signaux des yeux, une fraction de seconde. Il haussa les épaules, secrètement flatté d'entrer dans le clan restreint des manieurs de rames.

— Oui, si tu appelles ça de cette manière... On m'a donné le bulletin rose...

Le vieux conducteur se fendit d'un sourire.

— Et c'est quand, le grand jour ?

Il le savait très bien, mais il profitait de la moindre occasion qui lui permettait de combattre la monotonie du boulot, la somnolence.

— Demain matin... J'aurai une bécane pour moi tout seul... Je ne croyais jamais y arriver !

— Ils te mettent sur quelle ligne ?

Patrick gonfla le torse.

109

— Nation-Étoile... Un coup de pot, j'ai pas mal de stations à l'air libre...

— T'as le trac ? C'est pas le même tintoin de faire le trajet avec un vieux singe dans mon genre, et de se retrouver comme un con avec les rails pour seuls compagnons ! Ça parle pas beaucoup, ces bêtes-là ! Alors, tu les as, les foies ?

Le jeune homme vérifia le bon fonctionnement du téléphone haute fréquence, pour se donner une contenance.

— Bien sûr que j'ai le trac... il y a de quoi, non ? Toi aussi, quand tu as pris ton premier Sprague, tu ne devais pas être bien fier...

Roger s'esclaffa.

— Ouais, mais en ce temps-là, t'avais de quoi avoir les jetons ! Ils m'avaient refilé une motrice « grandes loges »... Le compresseur faisait un de ces boucans ! Sans compter qu'il fallait descendre en voltige pour débloquer les portes... Et c'était pas encore l'époque des freins rhéostatiques... Tandis qu'aujourd'hui, c'est du gâteau...

La rame stoppa dans la station Crimée. Quinze secondes plus tard, la sonnerie de contrôle des portes retentit. Patrick appuya sur les boutons appropriés. Le pilote automatique reprit en charge la conduite du train. Roger leva les mains.

— On n'a plus rien à faire ! T'es là, à t'emmerder, et c'est l'ordinateur, leur Poste de Commande et de Contrôle Centralisés qui fait tout le boulot... Le train fantôme ! Moi, au début, je ne quittais pas les deux bouts de l'œil. Pas une seconde. L'examen de conducteur, tu l'avais vraiment, pour les copains, quand t'avais fait le trottoir. Pas avant !

Patrick fronça les sourcils, interloqué.

— Tu as fait le trottoir, toi ? Qu'est-ce que ça veut dire ?

— Pas ce que tu penses, en tout cas... C'est demain que tu fais la ligne Pigalle-Clichy, calme-toi.

Patrick revint à la charge.

— Alors, cette histoire de tapin... Tu en as trop dit...

— Tu l'as jamais entendue ? Ça m'étonne de ces vieilles carnes d'instructeurs... Enfin, voilà : sur les anciennes bécanes, les portes ne fermaient pas automatiquement, comme sur celle-ci. Même que les voyageurs les ouvraient entre les stations, pour avoir de l'air... Alors, le premier soir de conduite, tout jeunot, il fallait que tu montres de quoi tu étais capable... En rentrant la rame à vide, au terminus, tu descendais au début du quai... Sur le trottoir...

Le jeune homme lâcha les manettes.

— La rame filait toute seule ? Sans personne dedans ?

Roger mimait les opérations, heureux d'en remontrer à un débutant.

— Ouais, c'est comme je te dis ! T'es estomaqué, hein, petit ? Après on attendait que la dernière voiture arrive devant soi, et hop, on remontait vite fait dans le poste de pilotage de queue de rame... Il te restait à peine le temps de freiner en te jetant sur les manettes...

111

Patrick le regarda, admiratif.

— Et toi, tu l'as fait ?

— Ben oui... Je n'ai pas loupé mon coup... Je suis devenu un vrai de vrai, respecté de la corporation.

— Parce qu'il y en a qui l'ont loupé ?

Roger hocha la tête avec une fausse gravité.

— Oh, pas des dizaines ! Un seul, en fait... Un sale type... Un Auvergnat, je crois me souvenir. Le lèche-bottes dans toute sa splendeur. Il dégoisait sur tout le monde, ce qui fait qu'il n'était apprécié de personne ! Tous ses collègues se sont donné le mot. Ils l'ont chambré pendant des mois. Qu'il n'était plus capable « de faire le trottoir »... Je passe sur les sous-entendus... À quarante balais, on est chatouilleux question honneur... Ils ont tellement mis le paquet que le mec, usé, a fini par annoncer qu'il en remettait un coup...

— Il est redescendu. À quarante ans ?

— Ouais, mais il n'est jamais remonté ! Ces cons avaient bloqué la porte arrière... Il a vu son métro défiler devant son nez, à vingt à l'heure, et s'écraser au fond du dépôt ! Braoum !

La rame entrait dans la station Corentin-Cariou. Patrick ne parvenait pas à contenir un fou rire incoercible.

— Braoum !

À travers ses larmes de joie, cent mètres devant la motrice, il vit un corps basculer dans le vide.

Roger, derrière lui, s'était raidi.

— Bon Dieu... C'est bien notre veine !

De la cabine le choc fut imperceptible.

CHAPITRE X

La voiture traversa le carrefour Stalingrad sans
ralentir ni prêter attention aux feux tricolores,
comptant sur la seule autorité de la sirène pour
parvenir sans encombre de l'autre côté du métro
aérien. Elle remonta le long du bassin de la Villette en slalom. Michèle Fogel conduisait avec
précision, les yeux braqués sur l'asphalte, dix mètres à l'avant du capot. Le message affolé du chef
de quai de la station Corentin-Cariou résonnait
encore à ses oreilles.

— Il vient d'en tuer un autre... Il n'y a pas
cinq minutes...

Elle imaginait sans peine le délire qui allait
s'emparer des journaux, des radios, la nervosité
qui gagnerait les sphères supérieures de la hiérarchie, et le vent de panique qui risquait de s'abattre sur les voyageurs.

Elle prit le virage du quai de la Gironde à près
de cent à l'heure. À ses côtés, Alain Deligny tentait de ne rien laisser paraître de son angoisse.
Sans pouvoir s'empêcher de suivre la course

montante de l'aiguille sur le cadran. Les halls déserts des anciens abattoirs défilèrent, entourés de grues, comme des sentinelles. Il désigna un point, derrière les carcasses de béton et de poutrelles.

— C'est là qu'ils vont construire leur foutue salle de rock !

Michèle Fogel ne leva pas le nez de son volant.

— Vous n'aimez pas la musique, inspecteur ?

Il n'eut pas le loisir de répondre. Le commissaire pila à la hauteur de l'avenue Corentin-Cariou, pour éviter un semi-remorque rempli de boyaux et d'abattis qui manœuvrait devant une boucherie de gros musulmane. L'avenue était bloquée par une quantité de camions, de fourgonnettes stationnés en quinconce. Ils abandonnèrent leur véhicule au milieu de l'embouteillage et se dirigèrent vers la bouche de métro qu'on apercevait devant les arches noircies du pont de la ligne de petite ceinture. Une grille basse, peinte en vert sale, un escalier coupé dans sa longueur par une balustrade séparant les départs des arrivées. Ils empruntèrent la moitié de droite, feignant de croire que le code de la route s'appliquait jusque dans les couloirs du métro. Il n'y avait aucune trace d'affolement autour de la station. Michèle Fogel observa le quartier alors qu'elle s'enfonçait dans le réseau. Elle remarqua l'auvent d'un troquet, entre deux devantures pleines de bidoche : « À la sortie du Métro » et en plus petit « Maison Aragon » qui lui fit se souvenir des vers qu'elle préférait quand elle avait encore le goût de la poésie.

114

« Bordel pour bordel,
je préfère le métro,
d'abord c'est moins cher,
et ensuite c'est plus chaud. »

Elle se retint de les servir à l'inspecteur.

Dans la salle des guichets, une employée dé-verrouilla les tourniquets pour les laisser passer. On avait interrompu le trafic, et une vingtaine de personnes attendaient qu'on leur permette d'ac-céder aux quais. Des murmures s'élevèrent du groupe quand les deux policiers franchirent les appareils. Le commissaire apostropha l'employée de la RATP.

— Faites boucler les entrées, avec les grilles ! Et dites-leur de dégager.. C'est arrêté pour un bon bout de temps...

Puis elle se tourna vers l'inspecteur.

— Qu'est-ce que ça veut dire ? On n'a pas en-voyé de renforts ici ? Vous n'allez pas me dire qu'ils sont encore en manifestation ! Ils ont dé-croché la timbale, hier !

Alain Deligny toussota, gêné.

— On ne sait jamais comment ça tourne, ces affaires-là... Ils sont peut-être en bas...

Ils parvinrent sur le quai, direction Auber-villiers. Michèle Fogel repéra la concentration d'uniformes à l'avant du train immobile, sur fond d'affiche ELLE ET VIRE. Bleu préfecture et bleu métro confondus. La réunion éclata à leur appro-che. Le commissaire fonça sur un inspecteur atta-ché au commissariat de la rue de Nantes, un minet étriqué à qui elle avait eu affaire six mois plus tôt, pour une histoire de drogue liée aux squats de la rue de Flandres.

— Vous voulez provoquer une émeute dans votre quartier ?

Il la fixa, un sourire ironique accroché aux lèvres.

— Quelle émeute, commissaire ? De quoi parlez-vous ?

Michèle Fogel remarqua ses doigts manucurés et ses vêtements, un camaïeu de beiges... Elle eut soudain envie de le salir, de lui ordonner de descendre dans la fosse, entre l'huile et le sang... Son regard plongea devant la motrice sur le corps désarticulé puis, en remontant vers le tunnel, sur l'étui à guitare. La vue de la boîte noire aux formes courbes provoqua un frisson de terreur. Elle sentit une infinité de gouttes de sueur peupler sa peau. Le cri lui sortit de la gorge, déformé par la peur.

— Barrez-vous tous ! En vitesse...

Le petit inspecteur resta sur place, interdit. Michèle Fogel lui attrapa l'épaule et le poussa vers le couloir de sortie. Alain Deligny se porta à sa hauteur.

— Que se passe-t-il, commissaire ?

Elle lui montra l'étui, sur la voie.

— Appelez immédiatement le service du déminage... À tous les coups, il y a une bombe là-dedans ! Je parie qu'il nous refait le même cinéma...

Les flics et les employés ne mirent pas long-

116

temps à réaliser le danger. Ce fut la débandade. Ceux qui, une minute plus tôt, traînassaient sur les lieux du crime sans autre raison que de nourrir leurs instincts morbides, jouaient des coudes, à celui qui s'échapperait le plus vite de l'œil du cyclone. Alain Deligny occupait la dernière position. Il allongeait le pas, forçait le rythme, se retenant de sprinter par un coûteux sursaut de dignité. Le commissaire les suivit à distance. Ils s'étaient rassemblés devant le plan de quartier, à quelques mètres de la sortie. À travers les vitres des portes à battants, elle aperçut le rideau des grilles tiré : Alain Deligny s'escrimait au téléphone, dans le local de vente des billets. Il raccrocha et vint la rejoindre.

— Ils arrivent avec tout leur matériel... Il faut compter un quart d'heure minimum...

Michèle Fogel approuva d'un signe de tête. Elle s'approcha de l'attroupement. Le jeune inspecteur se tenait près d'une femme d'environ vingt-cinq ans, au visage défait, aux joues mouillées de larmes. Il la prit par le bras pour la guider vers le commissaire.

— Elle avait rendez-vous avec le gars qui s'est fait tuer. Elle a assisté à toute la scène...

La jeune femme s'essuya la figure d'un revers de main. Son geste laissa de larges coulées de rimmel sur ses pommettes. Son maquillage délabré et la violence de l'éclairage au néon ne parvenaient pas à détruire le charme qui se dégageait de ses traits. Elle réussit à retenir ses sanglots nerveux.

— Laissez-moi approcher de lui... Je veux le revoir une dernière fois...

Michèle Fogel lui passa un bras autour des épaules. Elle l'entraîna. Les deux femmes marchèrent au ralenti, comme pour un enterrement, le long du couloir. Le commissaire mit quelques secondes à identifier l'accent italien, à l'arrondi des « r ».

— Calmez-vous. Je vous promets que vous pourrez aller le revoir, dès que tout danger aura été écarté.

La jeune femme marqua un léger temps d'arrêt.

— Quel danger ? Il ne reste plus que lui là-bas... Mort...

— Vous oubliez l'étui à guitare, sur les rails...

Elle haussa les épaules en reniflant.

— Et alors ?

— Vous ne lisez pas les journaux ? Avant-hier on a déjà poussé un homme sous le métro. Un type qui se promenait avec une bombe dans une valise ! Des surprises de ce genre, ça apprend à être prudente...

— Mais ce n'est pas possible ! Enrico donne des cours de guitare... Il n'y a jamais eu rien d'autre dans son étui que sa guitare !

Michèle Fogel sortit son calepin.

— Comment s'appelait-il ? Enrico comment ?

— Enrico Conti... C'est un Italien... Lui aussi...

— Vous le connaissiez depuis longtemps ?

Elle resta silencieuse quelques secondes. Le

commissaire s'apprêtait à renouveler sa question mais elle se décida.

— Depuis cinq ans... Depuis qu'il est arrivé en France... Nous étions fiancés.

— Ça s'est passé de quelle manière, tout à l'heure ? Vous attendiez le métro ensemble ?

— Non. Nous avions rendez-vous sur le quai... Je le rejoignais chaque fois à la sortie de son cours.

Michèle Fogel nota le renseignement.

— Vous étiez donc dans un des wagons, prête à descendre... Est-ce que vous avez vu celui qui l'a poussé ?

Elle plissa les yeux et porta les mains à son visage, secouée par une violente crise de larmes. Le commissaire fit signe à Alain Deligny de s'approcher.

— Le type, sur la voie, s'appelait Enrico Conti. Un Italien qui vivait en France depuis cinq ans. Faites vérifier par les services de l'Identité. En procédure d'urgence.

Puis elle se tourna vers la jeune Italienne.

— Essayez de vous calmer... Tout ce que vous pourrez me dire maintenant peut être d'une importance capitale... Cela peut nous mettre sur la piste de l'assassin de votre ami...

Pour toute réponse, elle prit son souffle et bloqua sa respiration. Elle recouvra, un instant, la maîtrise de la parole.

— Oui, je l'ai vu... Mais je ne le connaissais pas... Pourquoi a-t-il fait ça ? Pourquoi Enrico... Pourquoi lui ?

Elle se mit à répéter ces deux derniers mots, sans fin, en se tordant les mains. Michèle Fogel se fit aider du petit inspecteur en costume beige. Ils la prirent sous les bras et la conduisirent dans le local de vente des billets où Alain Deligny téléphonait. Il reposa le combiné.

— Vous aviez raison, commissaire. Le gars a une sacrée fiche aux Renseignements Généraux... Enrico Conti, vingt-neuf ans, réfugié politique depuis 1979. En Italie, il fricotait avec les mouvements d'extrême gauche, à l'époque des Brigades Rouges. Son nom a été prononcé au cours du procès de « Prima Linea », un groupe dissident, si j'ai bien compris. Depuis son arrivée en France, il semblait se tenir peinard... À part ses cours de guitare, il faisait l'acteur dans un groupe de théâtre italien, rue Poissonnière. J'ai noté les adresses...

— Très bien, Deligny. Mettez-moi tout ça de côté... Emmenez la fille au Central. On ne peut rien en tirer tant qu'elle est sous le choc. Elle a vu le pousseur, en gros plan... Essayez de trouver un toubib qui la calme sans l'abrutir. On se rejoint là-bas dès que cette histoire d'étui est réglée...

Alain Deligny s'apprêta à partir mais il se ravisa.

— Je voulais vous dire aussi que le préfet demande après vous. Son chef de cabinet n'arrête pas de téléphoner à la Bastille.

— Ça devait arriver... Faites-leur savoir ce qui

se passe ici, et présentez-leur mes excuses pour ce léger contretemps !

L'inspecteur ne releva pas le sarcasme. Près des escaliers il croisa l'équipe d'artificiers, les mêmes qu'à Châtelet. Ils lui firent un signe, en passant, et se hâtèrent en direction des quais.

Michèle Fogel les intercepta près du plan de quartier. En quelques phrases elle résuma la situation. Le responsable du trio écoutait en approuvant. Un tic nerveux.

— Le caisson n'est pas près d'arriver. La circulation est complètement bloquée... Il paraît qu'il y a une énorme chute de la fréquentation du métro... La frousse ! Ils prennent tous leur bagnole...

Le commissaire s'impatienta.

— On attend que ça explose ?

— Non, on y va... On se demande pourquoi ! La Seine est à des kilomètres... Personne n'a rien à redouter d'une explosion dans une station vide... Sauf que notre fichu boulot consiste justement à empêcher que ça pète ! Et pour ça, pas de doute, il faut s'approcher...

Il se mit en mouvement suivi de ses deux collègues. Michèle Fogel leur emboîta le pas. Ils distinguèrent les portes béantes de la rame, dans la station obscure. Les faisceaux des torches se reflétaient en mille éclats dans les carrés de céramique. Seul le panneau d'alarme, fiché dans la voûte, diffusait une lumière jaune sur une rangée d'armoires électriques.

Ils parvinrent à l'avant du train. Les lampes plongèrent dans la fosse, de leur mouvement saccadé. L'une s'immobilisa sur les boggies de la motrice, l'autre sur le corps de l'Italien. Le chef des artificiers tendit sa torche au commissaire.

— Éclairez l'étui pendant que je descends... Je vais essayer de voir de quoi il retourne...

Elle dirigea le trait lumineux sur le boîtier noir, évitant soigneusement d'accrocher le corps d'Enrico Conti. Le faisceau faisait comme un prolongement de sa main et elle aurait eu l'impression de le toucher du doigt. La lumière frôla l'épaule du mort pour se fixer sur le renflement de l'étui, à hauteur de la rosace. L'artificier s'accroupit pour s'asseoir sur la bordure blanche, les jambes ballantes dans le vide. D'un coup de reins, il se propulsa vers les rails. L'écho renvoya le bruit des graviers piétinés. Sa tête happa le rayon, un instant avant qu'il ne se penche près de l'étui. Il se mit à l'ausculter, à le détailler. Le commissaire eut l'impression de vivre un moment dilaté : chaque seconde s'alourdissait du poids de l'angoisse. Elle retint sa respiration quand les doigts de l'artificier effleurèrent la courbe de la caisse, comme pour une caresse, et arrêtèrent leur course sur les ferrures brillantes. Les deux fermetures claquèrent et s'ouvrirent sous la pression des pouces. Une fine fente sombre sépara le couvercle du fond de l'étui. L'artificier s'ingénia à élargir la fissure par une série de gestes précis et retenus. Puis il plongea la main dans l'ouverture qu'il venait de ménager.

Michèle Fogel reçut dans les yeux l'éclair du bois verni, la lumière réfractée de sa torche.

L'artificier se dressa dans la fosse, les pieds plantés à dix centimètres du cadavre. Il bloqua la guitare sur son ventre et plaça les doigts sur le manche. L'ongle du pouce droit attaqua les cordes avec toute la rage accumulée de cette trop grande proximité avec la mort.

Michèle Fogel reconnut les premiers accords d'un vieux rock des Beatles et les larmes lui montèrent aux yeux.

« Ticket to ride »...

CHAPITRE XI

Elle reprit sa voiture, au coin de l'avenue Corentin-Cariou, alors qu'un trio de bouchers, des armoires recouvertes de blouses blanches maculées de sang, s'apprêtait à soulever la R 12 pour dégager une partie de la voie.

Elle s'éloigna sous les quolibets.

Alain Deligny la rappela sur la fréquence. Elle était attendue en préfecture. Elle descendit la rue de Flandres puis le faubourg Saint-Martin, se frayant un chemin au travers des amas de tôles coincées, à coups de sirène et d'intimidation. Les bouchers n'avaient fait qu'inaugurer la série : arrivée à la Cité, elle avait son comptant d'injures et de bras d'honneur. Elle grimpa les marches en sifflotant pour se donner l'air décontracté. L'huissier lui confirma qu'on avait hâte de la voir. Il la fit annoncer. Les lourdes portes du bureau préfectoral lui livrèrent passage. Michèle Fogel hésita à poser le pied sur l'épaisse moquette qui semblait pousser tout naturellement dès qu'on avait franchi la barre de limite du couloir.

Elle se décida à fouler la laine claire qui recouvrait le sol d'une immense pièce de forme rectangulaire, totalement meublée de copies du Bauhaus. Elle avait déjà rencontré le préfet, à deux reprises, lors de cérémonies officielles. Il lui avait même serré la main, au moment de partir, en plein milieu de cent autres poignées obligatoires. L'intimité, quoi !

Les hautes fenêtres donnaient sur Notre-Dame. Les lamelles inclinées des stores intérieurs filtraient le soleil déjà fort. Un tableau de Paul Klee occupait le centre du mur, à sa gauche. Une toile très colorée, séparée par un filet bleu aux nombreuses ramifications, un souvenir d'Égypte...

Elle se dit qu'un homme qui appréciait Paul Klee ne pouvait pas être tout à fait mauvais.

Le préfet se chargea de la détromper.

C'était un de ces hauts fonctionnaires qui semblaient à chaque instant sortir tout à la fois de chez le coiffeur, du sauna, de chez le tailleur et des chiottes aussi, avec cette manie qu'ils voulaient discrète de vérifier du bout des doigts le bon fonctionnement de leur fermeture de braguette.

Le bronzage permanent parvenait encore à estomper la fatigue des traits, les plis de la peau. Elle se fit la réflexion qu'on pouvait difficilement trouver meilleure illustration du « porter beau ».

Il ne se donna pas la peine de se lever pour la saluer. Il se tenait assis derrière son bureau, un meuble de taille modeste perdu dans cet océan

125

laiteux. Il lui désigna un fauteuil, une tubulure chromée tendue de cuir noir.

— Asseyez-vous, madame...

Il parlait lentement, en détachant les syllabes.

— ... alors, vous l'avez attrapé ?

Il plaçait des quantités d'accents circonflexes sur les « a » et elle se demanda s'il ne prenait pas plaisir à farcir ses phrases de cette voyelle dans le seul but d'irriter ses interlocuteurs. Michèle Fogel se cala dans le fauteuil hérité de Gropius, les avant-bras appuyés sur les accoudoirs.

— Non, monsieur le préfet, pas encore... Mais nous devrions établir son signalement précis dans la journée...

Il lui coupa la parole.

— C'est la moindre des choses ! J'ose espérer que vous n'allez pas attendre qu'il vide le métro de tous ses occupants pour agir !

Le commissaire serra les dents.

— Son arrestation ne saurait tarder, monsieur le préfet... Tous nos effectifs sont mobilisés. Il peut difficilement échapper à notre dispositif... Pourtant, nous devons manœuvrer avec prudence. Tout porte à croire que nous avons affaire à un groupe terroriste international...

Le préfet changea de registre. Il prit un ton ennuyé, presque condescendant.

— Oui, j'ai vu votre rapport... Et c'est vous que l'on charge d'une telle mission ! Vous vous sentez de taille ?

Il ne lui laissa pas le temps de répondre.

— ... Enfin ! Un dernier mot : veillez à calmer

la presse. Qu'ils en racontent le moins possible. Trouvez quelque chose à leur dire... Qu'ils nous laissent tranquilles, le temps de lui mettre la main au collet.

Il se leva pour signifier la fin de l'entretien. Il lui tourna le dos, les mains dans les poches de son pantalon et baissa la tête vers la cour de la caserne de la Cité.

Michèle Fogel franchit en silence les trois ou quatre mètres de moquette haute laine qui la séparaient de la porte.

Elle se vengea de son silence au volant, en martyrisant la R 12 de service. Le gyrophare et la sirène ne lui suffisaient plus, elle alluma les pleins phares pour descendre la voie express à toute vitesse. On s'écartait sur son passage comme à l'approche d'un ouragan. Elle se permit de semer une BMW qui profitait de son sillage.

Alain Deligny ne sursauta pas quand la porte claqua et fit vibrer les carreaux et les cloisons du bureau : le crissement des pneus sur le boulevard Bourdon l'avait averti du retour imminent du commissaire. Le fracas de son arrivée parvint presque à couvrir le raffut d'une rame quittant la station proche.

— Ça n'a pas l'air de s'être bien passé avec le préfet ?

Michèle Fogel jeta son sac sur une chaise.

— C'est tout juste s'il ne me demande pas d'arrêter le premier suspect présentable pour calmer la presse ! Calmer la presse et surtout faire baisser le taux d'adrénaline dans les couloirs du ministère de l'Intérieur...

— Qu'est-ce que vous lui avez répondu ?

— Rien ! Je me suis dégonflée... Il m'a bluffée avec son bureau de deux cents mètres carrés et son exposition de Klee...

L'inspecteur releva la tête d'un coup sec, à la manière d'une poule qui n'a pas senti venir le coq.

— Il fait collection de clefs ?

— Oh, Deligny ! Arrêtez de me décevoir... Rien de neuf ici ?

Le trousseau lui resta sur la langue.

— Non, pas de miracles... La fiancée de l'Italien est entre les griffes des spécialistes de l'Identité. Ils constituent un portrait-robot du pousseur. *Le Parisien* est d'accord pour le diffuser dans sa première édition du matin. *France-Soir* prendra le relais à dix heures. C'est toujours ça...

Michèle Fogel se laissa choir sur une chaise, sous la fenêtre ouverte sur l'Arsenal.

— Bien. Vous n'avez rien prévu de précis ce soir, inspecteur ?

Il se montra surpris l'espace d'une seconde puis flaira une invitation possible. Geneviève se contenterait d'un coup de fil passé à temps. Il saisit sa chance.

— Non, rien du tout. Pourquoi ?

— Ça tombe bien : je n'ai pas réussi à trouver quelqu'un pour s'occuper des enfants, ce soir... Vous resterez là jusqu'à la fermeture du réseau, on ne sait jamais... N'hésitez pas à me déranger s'il se passe quoi que ce soit...

La journée s'écoula à interroger les rares témoins du meurtre de Corentin-Cariou et à parfaire le portrait-robot.

Alain Deligny eut bien du mal à se décider. Il se résolut à décrocher le téléphone vers huit heures, les yeux braqués sur des notes griffonnées à la va-vite, un scénario crédible qui justifiait son retard sans le faire passer pour plus con qu'il n'était.

La tonalité ne rencontra que le vide, quinze sonneries d'affilée qu'il s'imaginait se répercuter dans l'appartement désert. Il dut se rendre à l'évidence : Geneviève n'était pas à la maison !

CHAPITRE XII

Après l'épisode de Corentin-Cariou, Jacques avait erré la journée entière, émerveillé par les éclairs des paillettes de mica fichées dans les marches du métro. Il lui avait suffi de deux ou trois essais laborieux pour apprendre à franchir les barres des contrôles magnétiques. Il sortait du réseau quand bon lui semblait, sans plus se soucier de l'achat d'un ticket. Tout dans le métro lui était maintenant familier, les bruits, les échos, les odeurs, la gamme infinie des regards... Celui des gens pour qui il semblait ne pas exister ou mieux, être transparent, les dégoûts, la peur, la pitié, la haine... Jamais un appel...

Il avait hâte de retrouver Monsieur Victor.

Il descendit à Louis-Blanc, sur le coup de onze heures. Les quatre stations qui le séparaient du lieu de rendez-vous furent avalées en moins de dix minutes et Jacques s'installa sur le banc de Botzaris, décidé à tuer les trois quarts d'heure restants en dormant. Il s'allongea sur le côté. Ses yeux suivirent la courbe de la voûte coupée en deux, au milieu, par un mur de céramique dressé entre les voies. Cinq fenêtres perçaient la cloison à intervalles réguliers. Ces ouvertures lui permettaient d'apercevoir le quai opposé.

De longues minutes s'écoulèrent à observer les rares voyageurs qui terminaient leur parcours dans cette station dépourvue de correspondance. Le doute s'insinua dans son esprit, insidieusement : et s'il ne venait pas...

Jacques se remit debout à cette seule pensée. Il remonta précipitamment les marches sans fin de l'escalier mécanique pour faire irruption dans le hall où se séparaient les deux directions de la ligne 7 *bis*. La pendule marquait minuit moins cinq...

L'angoisse lui accordait un dernier répit.

D'autres rames, d'autres visages, d'autres histoires...

Il faillit pousser un cri de joie quand il reconnut la silhouette massive de Monsieur Victor, au travers d'une arche rendue libre par l'effacement d'un train.

Jacques se précipita de nouveau vers l'escalier mécanique. Ils se rencontrèrent près du petit banc installé au premier niveau de la station entre deux séries de marches, une halte pour les vieux et les cardiaques.

Victor l'attira contre sa poitrine.

— Je suis un peu à la bourre, camarade ! Tu commençais à te faire du mouron, toi, on dirait ?

Jacques se contenta de hocher la tête, ému aux larmes de l'accueil que lui réservait le clochard.

131

— Tu causes toujours autant à ce que je vois !

Il donna deux tapes appuyées sur une musette rebondie qu'il portait au côté.

— J'ai grappillé de quoi manger pour deux... Tu as faim ?

— Un peu... Je n'ai rien avalé de la journée...

Victor l'entraîna vers le bout du quai, là où personne ne s'aventurait jamais passé dix heures.

— Je tombe du ciel, en quelque sorte !

Il passa la bandoulière de la musette par-dessus sa tête et souleva le rabat.

— Au menu, cuisse de poulet frit de Richelieu-Drouot...

Il sortit les aliments un à un, énumérant leur provenance.

— ... Botte de radis de Rambuteau, pommes de Barbès-Rochechouart, et, pour la bonne bouche, une demi-bouteille de rouquin empruntée aux ouvriers d'un chantier à Réaumur-Sébastopol ! Qu'est-ce qu'on dit au chef ?

Jacques avança la main vers le pilon.

— Félicitations, monsieur Victor.

Le vieil homme esquissa une révérence.

— Merci, petit... On va manger là, tranquilles... On peut prendre tout notre temps. Après, je t'ai promis une surprise, et j'ai l'habitude de tenir mes promesses ! Je n'oublie rien de rien... Tiens, tu sais ce qu'ils disaient les copains ?

Jacques avoua son ignorance.

— Non ? C'est pourtant simple, ils disaient : « Monsieur Victor, une parole en or ! » Véridique...

132

Ils dînèrent à même le banc, ignorés des derniers Parisiens qui se hâtaient vers la sortie et l'humidité sombre des Buttes-Chaumont. Jacques but son premier verre de vin depuis des éternités. L'alcool lui procura une sensation similaire à celle provoquée par certaines gélules roses : un échauffement du visage, une difficulté à déglutir, ainsi qu'une légère perte d'équilibre, mais il ne songea pas une seconde que Victor tentait de le droguer.

Le métro-balai s'annonça alors qu'ils rangeaient les restes de leur repas dans des sacs plastique. Ils firent semblant de prendre place sur les degrés mouvants de l'escalier, imaginant le regard inquisiteur du conducteur plaqué sur leur dos. La machine ronronna puis reprit sa course vers le Pré-Saint-Gervais. Monsieur Victor serra ses doigts sur le bras de Jacques. Il l'entraîna sur le quai puis le poussa à l'orée du tunnel, contre la plaque jaune en interdisant formellement l'accès. Les lumières de la rame s'effacèrent au milieu d'un virage.

— Allez, passe et accroupis-toi derrière.

Jacques hésita. Victor s'énerva.

— Passe, bon Dieu ! Ils vont venir faire leur tour...

— Qui ça ? Les gens avec leurs chiens ?

À force de contorsions, il avait réussi à franchir l'obstacle. Victor l'imita.

— Non, le chef de station. Ici, c'est moins couru qu'Opéra ou Châtelet... Ils ne font jamais de rondes mais il vaut mieux jouer le jeu et se plan-

quer... C'est vicieux les bêtes qui portent des casquettes...

Ce soir-là le responsable de la station ne se
donna pas la peine de descendre sur les quais. Il
se contenta de tendre l'oreille pour vérifier l'arrêt
des escaliers mécaniques. Il coupa l'alimentation
des couloirs avant de tirer les grilles sur la bouche momentanément inutile.

Le silence s'installa. Monsieur Victor retourna
sur le quai désert.

— Tu peux sortir, on est tranquilles maintenant.

Jacques s'extirpa de sa cachette et massa sa
jambe malade rendue insensible par un fourmil-
lement.

— On reste là cette nuit ?

— Non, j'ai mieux à te proposer. On attend
qu'ils coupent le jus sur les rails... Ensuite on re-
prend le tunnel...

Ils demeurèrent debout, sans échanger d'autres
paroles. Les effets du vin s'effaçaient lentement
du haut du corps de Jacques pour gagner les
membres inférieurs. Il eut du mal à répondre à
l'injonction de Monsieur Victor.

— C'est bon, on y va !

Ils se mirent en chemin, guidés par la lueur
d'un signal au loin, annonçant « 35 ».

Jacques parvint à se servir des traverses maculées de blanc comme de marches. Leur écarte-
ment l'obligeait à modifier son pas, à moduler sa
vitesse pour ne pas heurter Victor dont il distinguait la carrure, à l'avant. Il prit peu à peu

conscience qu'ils s'enfonçaient sous le sol parisien. Une sorte d'entraînement du corps, comme un poids hors de soi.

— On va dans quelle direction ?

Victor s'arrêta pour souffler.

— Vers la place du Danube... Mais on ne va pas tarder à bifurquer...

— Vous connaissez une autre voie abandonnée ?

— Mieux que ça, petit... Tu verras... Une surprise, ça en reste une tant qu'on ne dit rien ! Comme pour le champagne : éventé, ça ne vaut plus rien !

Ils reprirent leur marche et progressèrent d'environ cent mètres, dans l'obscurité la plus totale. Monsieur Victor sortit enfin sa minuscule lampe de poche, s'estimant suffisamment éloigné des quais. Il tomba en arrêt devant une porte métallique ménagée dans le mur du tunnel. Il l'ausculta minutieusement, promenant ses mains sur les gonds, la serrure. Il conclut son examen par le loquet.

— Non, ce n'est pas celle-là... Je ne suis venu qu'une fois, et ça fait un sacré bout de temps...

Il se voulut rassurant.

— Mais ne t'inquiète pas, on va trouver.

Jacques le suivit au ralenti, dans l'odeur de vieux ciment et d'éclairs électriques. Il eut soudain conscience de ne plus entendre le bruit de ses pas, ni le roulement des graviers sous ses tennis. Victor s'était déjà retourné, l'oreille tendue vers la station qu'ils venaient de quitter.

— Tu n'entends rien ?

Entendre quoi ? Ce qui l'étonnait, justement, était de ne plus s'entendre... Jacques balançait la tête dans le halo de la lampe.

— Tu es sourdingue ou quoi ! On a intérêt à se mettre de côté... Tu as une niche, là-bas, colle-toi dedans.

Victor se plaqua dans le fond de l'abri pratiqué dans le boyau. Les faisceaux parallèles de deux phares très puissants balayèrent les voies tandis qu'un énorme grondement de machine, de soufflerie envahissait le tunnel.

Jacques écarquilla les yeux pour voir passer l'impressionnant engin jaune et gris qui remontait la ligne à faible allure. Il sentit sur ses pieds le jet d'air puissant chargé de poussières et de détritus.

Puis le vacarme décrut. Ils sortirent dans le sillage aux relents de gas-oil. Monsieur Victor se planta l'auriculaire de la main droite dans l'oreille correspondante et l'agita pour venir à bout d'un bourdonnement désagréable.

— C'est le métro-aspirateur... J'aime pas tellement le rencontrer celui-là !

Jacques fixait les points rouges qui s'amenuisaient au-dessus des rails.

— Je le voyais plus petit...

Victor ne prêta pas attention à son compagnon. Il se remit à longer la voûte, laissant traîner une main sur le béton lissé, recherchant dans ses souvenirs les bribes de son passage initial. La torche dessina les contours d'une autre porte, en

136

tout point semblable à la précédente. Victor l'examina longuement et conclut.

— Voilà, je l'ai ! Approche-toi, la surprise est de l'autre côté...

Il exhuma de ses poches une vingtaine de clefs de toutes formes, de toutes dimensions ; un triangle, un carré qui permettaient à eux deux de forcer le moindre recoin d'une station, des clefs de verrous, de cadenas... Il essaya une à une toutes celles dont le dessin correspondait à celui du trou. Après plusieurs essais infructueux, les deux parties de métal s'épousèrent : la porte s'ouvrit sur un escalier sombre aux marches grises et luisantes. Victor dirigea le faisceau de sa minuscule lampe sans venir à bout de l'obscurité.

L'inconnu commençait dès la cinquième marche.

L'univers que Jacques découvrait à chaque degré franchi renouvelait le précédent : une rambarde métallique rouillée plantée dans un escalier humide. Ils descendirent du même pas prudent avec la sensation qu'une fraîcheur close, immobile les entourait peu à peu. Une seconde volée de marches suivait un court palier, qui les amena au plus profond de ce lieu. Jacques sentit le sable sous ses pieds. Du sable, ou bien une terre très fine, à laquelle se mêlaient des cailloux.

Victor lui fit signe de s'asseoir sur la dernière marche et de ne plus bouger. Il posa sa lampe de telle sorte qu'elle éclaire au ras du sol, devant lui. Jacques constata qu'il ne s'était pas trompé : le sol était recouvert — ou composé — d'un sable

137

très poudreux, d'aspect blanchâtre, qui lui fit penser à du talc. Plus loin, Victor s'agitait. Il extirpait des quantités de journaux de sous ses vêtements et les empilait au centre du cercle lumineux. Des *Parisien*, des *France-Soir*, des *Paris-Turf*, qu'il prit un malin plaisir à déchiqueter puis à rouler en boule.

— À quoi ça sert, ce que tu fais ?

— Aide-moi au lieu de poser des questions ! Page par page, et tu les serres bien, surtout, c'est important...

Bientôt la pile de journaux s'était transformée en un tas informe de petites balles de papier que Victor sépara en deux parties égales.

— On va en garder pour plus tard, si on a froid.

Puis il sortit une pochette d'allumettes de sa poche, détacha un bâtonnet et mit le feu à l'un des amoncellements de boulettes. Le papier, chargé d'encre, se consuma tout d'abord lentement, par flammèches bleu et vert pleines de fumée. Il s'embrasa d'un coup. De hautes flammes jaune et blanc projetèrent leur clarté sur les courbes immenses d'une salle en forme d'ogive. Jacques leva la tête pour suivre le tracé de la paroi abrupte qui lui faisait face. Il dut se pencher en arrière pour apercevoir le sommet, cinquante mètres au-dessus de lui. Il se mit debout, poussé par l'émotion. Il courut vers le mur calcaire, comme un gosse découvrant la mer se jette dans les vagues. Des veines de toutes couleurs marbraient la base de la falaise. Il se pencha pour ramasser une poignée de la poudre qui s'accrochait à ses vêtements et la porta à son visage, précédée de sa fade odeur de plâtre.

Tout lui parut évident, d'un coup. Il se tourna vers le brasier qu'entretenait Monsieur Victor.

— Vous m'avez emmené dans les carrières ? Non ?

Le clochard se dressa devant le feu, rejetant Jacques dans son ombre gigantesque.

— Tu n'es pas aussi bête que tu en as l'air ! Oui, on est dans les carrières... Les carrières d'Amérique, pour être précis. Là, vers ta gauche, c'était le gisement d'argile à briques... Ici, on est dans le plâtre jusqu'au cou... Les savants appellent ça du gypse, mais il suffit de dire un truc pareil aux mômes pour qu'ils croient que c'est avec cette poudre qu'on fabrique le dentifrice ! Tiens, regarde là-haut...

Victor fit un pas de côté, illuminant par son geste toute une partie de la carrière qui échappait encore à Jacques. Il vit tout d'abord les escaliers en ciment qu'ils avaient empruntés quelques minutes plus tôt. Les marches s'appuyaient sur un épais pylône de béton d'une vingtaine de mètres de hauteur. Il y avait ainsi trois rangées de colonnes, disposées de front, qui soutenaient un long tunnel de béton. Victor se mit à rire.

— Elle est belle ma surprise ! Eh oui, c'est le métro qui passe là-dedans... En plein milieu des carrières... Quand ils vont au boulot, ils ne s'imaginent pas, qu'en fait, derrière les parois de béton

il y a tout ça ! Heureusement, sinon ils vou-
draient tous venir faire un tour...

L'air vibra légèrement. Jacques s'inquiéta.

— Vous n'entendez pas ?

— Si. Ce doit être l'aspirateur qui revient de
la boucle du Pré-Saint-Gervais. Il ne prendra pas
l'escalier, sois tranquille !

— On se trouve où, exactement ?

— Sous la rue du Général-Brunet, disons à
hauteur de la villa Marceau ou de la villa Fonte-
nay... Dans le quartier d'Amérique, en tout cas.
Ça s'appelle comme ça, parce que dans le temps,
le plâtre partait de l'autre côté de l'Atlantique.
Paraît qu'ils auraient construit la moitié de New
York avec les tripes du vieux Paris... C'est ce qui
se dit... Ça te plaît ?

Jacques se laissa tomber près du feu, dans un
brouillard de plâtre et de fumée.

— Oui, c'est très beau, monsieur Victor... Immense... On dirait qu'il y a d'autres salles...

— Oui, ça se barre dans tous les sens. Un coup
à se paumer et à mourir de soif... À moins de
tomber sur un Communard avec sa gourde...

— Pourquoi dites-vous ça ?

Victor prit une brassée de boules de papier et
les lâcha sur le feu.

— C'est quand même un monde ! Personne ne
sait plus qu'on s'est furieusement battu là-dedans,
les derniers jours de la Semaine Sanglante... Le
Père-Lachaise, OK, on se souvient...

— Il y a eu la guerre, ici ?

— Oui. Le 26 mai 1871, les corps d'armée de

140

Mac-Mahon ont donné l'assaut aux derniers îlots de résistance, les 19ᵉ et 20ᵉ arrondissements... La curée... Ça fusillait à tour de bras : femmes, enfants, vieillards... Une partie de ceux qui ont échappé aux massacres se sont planqués dans les carrières... Les Versaillais tenaient toutes les issues, mais balpeau ! Les Communards ne sont jamais ressortis...

— Ils sont bien passés quelque part... Il existe une issue secrète ?

— Va savoir, petit. Peut-être qu'ils sont toujours là, dans une de ces galeries à attendre leur heure... Allez, arrive, on va dormir sous leur protection !

Jacques se recroquevilla près du feu, le corps parcouru de frissons.

— Tu ne te sens pas bien ici ? Si tu as les jetons, on peut remonter et pousser jusqu'à Place des Fêtes... Il y a une station désaffectée dans ce coin-là, rue Haxo...

— Oui, je la connais...

La réponse, prononcée sur un ton neutre et geignard, eut le don de mettre Victor en rogne.

— Tu connais ! Tu connais ! À t'écouter, tu connais tout... Tout et même le reste ! Mais tu n'es pas capable de dégotter de quoi manger pendant toute la sainte journée... Alors, tu te décides ? C'est oui ou c'est non ?

— On reste ici, je me sens fatigué. Je ne veux pas que vous vous fâchiez...

Monsieur Victor profita des ultimes rougeoiements des feuilles calcinées pour installer un lit de journaux dépliés entre les piliers du viaduc. Ils se couchèrent dans le noir des cendres. L'odeur âcre du feu s'estompa rapidement, remplacée par celle, plus lourde, de terre et de renfermé. Jacques respirait par à-coups comme pour en fractionner les émanations.

L'intérieur des tombes devait sentir ainsi... Il était persuadé qu'au moins cette odeur habiterait la sienne. Son malheur serait de ne pouvoir le vérifier.

— Bonne nuit, monsieur Victor.

Sa phrase se répercuta sur les murs de leur caverne obscure. Le vieil homme dormait déjà. Ou bien faisait-il semblant, les yeux ouverts sur les voûtes de marnes calcaires, d'argiles bleue, blanche, grise, songeant à des infinités de métros bourrés de plâtre et de ciment que des Fédérés en képi, souriants, conduisaient vers les gratte-ciel d'une nouvelle Jérusalem.

CHAPITRE XIII

Michèle Fogel n'était pas mécontente d'elle. Tout en faisant ses courses, le long de la rue du faubourg Saint-Martin, elle pensait à Deligny bloqué dans son bocal de la Bastille. Pas de doute, son corps faisait encore de l'effet ; elle avait été surprise puis flattée de la réaction de l'inspecteur à sa question :

— Vous n'avez rien prévu pour ce soir ?

Ce con tirait déjà la langue et se voyait, pour une fois, prendre le dessus sur sa supérieure... Ce n'était pas qu'il lui répugnait, au contraire, elle le trouvait possible, mais elle imaginait assez bien les conséquences sur son autorité de la moindre passade avec un homme placé sous ses ordres. Elle se tenait à ce principe élémentaire de ne chercher son plaisir qu'en dehors des sacrés liens du travail.

Elle prit la rue Eugène-Varlin pour rejoindre les bords du canal. La préfecture lui avait attribué un trois-pièces au cœur d'un ensemble en cours de finition. Des sortes de HLM améliorées, aux façades habillées de carreaux bruns et marron clair. Les véritables troupeaux de chiens que leurs maîtres baladaient matin, midi et soir avaient eu raison, en un temps record, de cette espèce de parfum de provisoire, mélange de white-spirit, de colle et de ciment qui vous fait aimer une maison sans histoire... Ne subsistait plus que l'odeur de pisse allongée d'eau de Javel.

Les fenêtres de l'appartement donnaient sur l'écluse Saint-Martin et sa passerelle, un quartier qui résonnait à jamais des répliques d'Arletty et de Jouvet. Elle posa les commissions sur la table de formica tout en jetant un coup d'œil dans la salle à manger. Les petites n'étaient pas là... Elle se précipita dans la chambre pour les découvrir sous une tente improvisée à partir de cartons de déménagement, de tiroirs démontés.

— Qu'est-ce que vous faites là ? Je me demandais où vous étiez !

Les deux gamines sortirent de leur cachette en riant, heureuses du tour qu'elles venaient de jouer à leur mère. La plus grande, d'abord, pas tout à fait neuf ans, une fillette au visage encore poupin, les joues rebondies, roses. Dans sa précipitation ses lunettes accrochèrent le rabat d'un carton.

— Attention, tu m'en as déjà cassé deux paires...

Aline ramassa la monture et l'ajusta sur son nez.

— Tu crois que c'est marrant d'avoir toujours

ce truc sur la figure... J'ai ~~~~
scaphandrier...

La cadette s'extirpa de la m~~~~
se jeta dans les bras de sa mère~~~~
fêter ses cinq ans. À la naissance ~~~~
Michèle Fogel n'avait su résister à la~~~~
son ex-mari. L'aînée devait hériter du~~~~
la grand-mère, tradition familiale oblige~~~~

Et une Aline, une !

La petite était née après leur séparation. Saphia... Pour être bien certaine qu'aucun ancêtre
ne pourrait se targuer de la filiation...

— Maman, quand est-ce que tu l'achètes, la
télé ?

— Dès que l'appartement sera terminé, Saphia... Je te l'ai dit...

— Oui, mais il sera jamais fini... T'es pas là
pour coller les papiers...

— J'ai beaucoup de travail en ce moment,
alors, soyez gentilles, allez mettre la table.

Les deux gamines disparurent dans la cuisine.
Michèle les entendait discuter. Aline prenait sa
sœur à témoin.

— En attendant, on loupe tous les clips vidéo... J'ai l'air maligne devant les copines ! J'ai
toujours pas vu le clip de Michaël Jackson sur les
zombis...

— Le truc avec les squelettes qui sortent des
tombes ? Ça fait même pas peur... Ils l'ont passé
dans l'émission de Jacky, une fois que la voisine
me gardait, un mercredi...

Michèle Fogel surveilla la toilette, les jeux dans

l'eau puis ... épara le dîner, viande hachée,
... un plat rapide qui lui valait des
pâtes au b... ...tionnels.
sourires i... ...ormit dès que la lumière fut éteinte
Aline ... ...mbre. Le commissaire s'installa dedans sa ... ...able-tréteaux, dans la salle de séjour,
vant u... ...dier ses dossiers.
pour ...

La ...réfecture demandait un rapport précis sur l'at...ude des hommes de la brigade du métro lors de... obsèques des policiers assassinés et, surtout, sur leur rôle pendant les manifestations incontrôlées de l'après-midi. Le ministre de l'Intérieur s'était décidé à limoger le directeur général de la police nationale, ainsi que le directeur de la sécurité publique. On parlait même de possibles sanctions contre le préfet de police... C'était bien le dernier qu'elle plaindrait...

Une photocopie du décret 68/70 du 24 janvier 1968 réprimant les actes collectifs contraires à l'ordre public dans le statut de la police nationale était agrafée sur la couverture du dossier. Elle parcourut la note.

« Les mesures prises contre les agents ayant failli à leur mission d'ordre le seront dans le strict respect des règles administratives fondamentales... »

Des photos découpées dans la presse, d'autres émanant directement des Renseignements généraux montraient ses hommes aux premiers rangs des manifestants, le bras tendu vers la façade du Ministère de l'Intérieur. Elle n'eut aucune peine à reconnaître Robert Portac et Hervé Chalion, en grande tenue, le revolver au côté... Leur rencontre, quelques jours plus tôt, alors qu'ils niaient avoir agressé un voyageur de nationalité portugaise, lui revint à l'esprit. Elle réfléchit un moment et se décida, sans la plus petite trace de remords, à les sacrifier à la justice en marche...

La petite ne cessait de se retourner dans son lit en soupirant.

Michèle Fogel se leva.

— Alors, tu ne dors pas encore ? Il y a de l'école demain...

Saphia chuchota.

— Viens, maman, viens me faire un bisou...

— Tu me laisseras partir ? J'ai encore du travail.

Elle s'assit au coin du lit, près de l'oreiller, et se pencha sur sa fille. Elle entendait le souffle régulier d'Aline, deux mètres plus loin, sous la fenêtre.

— Tu as déjà tué des bandits ?

La question la fit sourire.

— Non, je n'ai jamais tué personne... Pourquoi me demandes-tu ça ?

— Ben alors, à quoi il te sert ton pistolet ?

— Il me sert à leur faire peur. En le voyant, les bandits se rendent compte que je suis la plus forte...

Saphia ne semblait pas convaincue.

147

— Et s'ils en ont un aussi de pistolet ? Ils peuvent te tuer !

Elle se dressa sur le lit et se serra contre sa mère.

— ... Maman, je ne veux pas que tu meures... Jamais... Je ne veux pas que tu deviennes vieille comme les grands-mères...

— Il le faudra bien un jour... Toi aussi tu deviendras une gentille grand-mère... Grand-mère Saphia...

La fillette éleva la voix.

— Sûrement pas ! Les grands-mères, ça fait peur... Tu m'achèteras des souris blanches... Promets...

Michèle Fogel le lui promit, les larmes aux yeux.

— Je t'en achèterai... mais dors maintenant... Qu'est-ce que tu en feras, de tes souris blanches ?

Saphia passa ses bras autour du cou de sa mère et l'embrassa en écrasant son petit visage contre sa joue. Elle se détacha, laissant une marque humide et douloureuse.

— Pour faire des expériences... On inventera un produit, comme un bonbon à la fraise, et plus personne deviendra vieux... Tu m'aideras ?

Le commissaire lui en fit le serment. Saphia s'apaisa et finit par s'endormir. Michèle Fogel retourna à sa table de travail. Elle relut les premiers feuillets de son rapport. L'émotion qu'elle venait de ressentir à rassurer son enfant l'avait anéantie. Les phrases se brouillaient devant ses yeux.

Elle déchira ses notes.

Robert Portac et Hervé Chalion ne sauraient probablement jamais qu'ils devraient la poursuite de leur carrière à l'inquiétude d'une enfant pour sa mère

CHAPITRE XIV

Le lendemain matin, de très bonne heure, Michèle Fogel retrouva Alain Deligny à la Bastille. Aline s'occupait d'emmener sa sœur à la maternelle. L'inspecteur l'accueillit en bâillant.

— Vous n'avez pas assez dormi, inspecteur ?

Geneviève était rentrée après lui, vers deux heures du matin, légèrement ivre et totalement désespérée. L'alcool lui faisait l'effet inverse : au troisième verre, il pouvait rire sur n'importe quel sujet... Les souvenirs de morgue, les récits d'assassinats, les détails de la déposition d'une femme violée... Geneviève, non. Le whisky lui filait les pires coups de cafard. Probablement le goût...

— Je voulais te quitter... Tu ne m'aimes plus...

Deux heures de palabres entrecoupés de pleurs pour la convaincre du contraire... Il lui avait fallu réapprendre des mots oubliés, des phrases usées mais devenues douces d'avoir été trop prononcées. Puis faire l'amour, doucement, sans bruit, en essuyant ses larmes. Il l'imaginait perdue, seule dans les rues, luttant contre son envie de rentrer et le besoin de se venger.

— Où es-tu allée ?

Elle s'était blottie contre lui, les cheveux dans le creux de son aisselle.

— Chez ma mère... Grand nigaud...

Il se mordit les lèvres en se souvenant de cette réponse. Chez ma mère ! Qu'est-ce que tu croyais, mon gars, qu'elle te jouerait la scène de l'éternel retour ? Pour ce genre d'aventure il faut avoir la tête de Bogart et ne pas flotter dans son imper !

Le bâillement feint en appela un second, sincère. Il s'essuya les yeux.

— Non, j'ai du mal à me mettre en route... Jetez un coup d'œil aux journaux : on en prend pour notre grade.

— Je m'en doutais... La radio donnait le ton, tout à l'heure. Je n'ai pas envie de perdre mon temps. Sinon, vous avez des nouvelles de la direction de la RATP ?

Alain Deligny compulsa ses notes.

— Pas ce matin, il faudra attendre un peu... Vers six heures, pas avant. Hier soir leurs syndicats ont publié un communiqué commun. Ils nous repassent le paquet, avec les formes. Ils ressortent leur couplet sur la déshumanisation du réseau suite à la suppression des chefs de quai et des poinçonneurs... La direction, de son côté, a décidé de doubler le nombre des surveillants. Ils laissent tomber les contrôles de tickets dans les wagons...

— Au moins c'est positif. On a des indications sur la fréquentation ?

La main de l'inspecteur s'éleva au-dessus du bureau, les phalanges tendues à l'horizontale, pour s'abattre en piqué.

— En chute libre ! Ça touche également le RER et les lignes SNCF de banlieue. Par contre le réseau-surface est en passe d'être saturé. On prévoit le blocage du périphe dès huit heures. Les maréchaux risquent de suivre... La RATP estime qu'elle va perdre un bon tiers de ses habitués tant que la situation ne se sera pas calmée...

— Vous n'allez tout de même pas les plaindre... Ils ne perdent pas grand-chose : la carte orange se paye au mois, pas au trajet !

Au même moment, Monsieur Victor et Jacques se tenaient debout, dans le compartiment central d'une rame pratiquement vide, entre Botzaris et Buttes Chaumont. Les cloisons du wagon étaient recouvertes d'inscriptions punk, tracées au marqueur feutre : « AC/DC », « NO FUTURE », « INTESTINAL REJET ». La même main avait dessiné sur les sièges d'imposants sexes en érection sur lesquels, aux heures de pointe, il devait être difficile de s'asseoir sans prendre un air absent et dégagé.

Des inscriptions identiques décoraient les murs et les réclames de la station Bolivar. Le trait gras prolongeait les suggestions des publicitaires : les seins s'évadaient des soutiens-gorge, les tubes de crème onctueuse devenaient autant de gode-michés

Le métro filait maintenant vers la station Jaurès. Un homme venait de monter. Il s'installa près d'eux, sur la seule banquette muette, et ouvrit son journal aux pages centrales.

Monsieur Victor grappillait des informations au hasard de la lecture du voyageur.

« Mitterrand : la politique de rigueur est seule possible »

puis

« Le RPR dénonce l'épuration politique de la police »

ou

« 407 000 candidats à l'assaut du bac. »

Jacques s'ingéniait à éliminer de ses vêtements les traces de plâtre mais la poudre blanche, humide, avait pénétré le tissu.

— On se revoit ce soir ?

Il arrêta de frotter le bas de son pantalon, tout heureux de la proposition.

— Oui... On retournera dans votre wagon ? Ça me plaisait bien là-bas...

— Si tu veux, petit. Je me charge de la croûte. Je crois que je suis plus finaud que toi à ce jeu-là...

Victor se retourna vers le voyageur au moment précis où celui-ci repliait son *Parisien*, à l'approche de Jaurès. Un dessin au trait occupait le quart inférieur de la première page, surmonté d'un titre en gros caractères :

« LE PORTRAIT-ROBOT DU POUSSEUR
DU MÉTRO »

153

Il sentit ses muscles se contracter. La surprise bloqua ses mouvements. Jacques n'avait rien remarqué. Il reprit ses esprits et lui posa une main sur l'épaule.

— T'aurais pas fait des conneries, toi, par hasard ?

Jacques se sentit pris au piège. Il fixa son image mouvante, sur le mur du tunnel, déformée par le reflet des glaces.

— Non... Non... Pourquoi ?

La rame entra dans la station. Le voyageur descendit, imité par Victor qui entraîna Jacques.

— Alors explique-moi comment tu as fait pour avoir ta gueule en première page du *Parisien*... Tu n'as pourtant pas l'air d'une vedette...

La sonnerie de fermeture des portes retentit. Jacques ne quittait pas Victor des yeux, tout en comptant les secondes.

Un, deux, trois, quatre... À cinq, il sauta dans le wagon alors que les portes automatiques s'élançaient l'une vers l'autre. Victor tenta d'en arrêter la course. En vain. Le train quitta le quai, lentement, augmentant sa vitesse à chaque mètre. Victor l'accompagna, les mains accrochées au loquet extérieur, la figure écrasée contre la vitre. L'accélération l'obligea à lâcher prise. Il courut sur le quai, essayant de se maintenir à la hauteur de Jacques.

— Fais pas le con, petit... Fais pas le con, reviens... On va arranger ça... Fais confiance à Monsieur Victor...

Le tunnel aspira le wagon. Victor se laissa tomber sur un banc, en bout de station, hors d'haleine.

Jacques comprit, bien avant d'arriver à Stalingrad, qu'il était irrémédiablement seul.

CHAPITRE XV

Alain Deligny se démenait au téléphone. Les rames se succédaient à un rythme soutenu et il devait crier pour se faire entendre de son correspondant. Malgré la chute de fréquentation, la RATP maintenait son plan de rotation habituel.

— Je m'en fous... Vous comprenez ? Je m'en fous...

Il laissa passer une rame dont l'ombre zébra le bureau.

— ... S'il y avait la guerre et un ordre de mobilisation affiché sur tous les murs de Paris, ils s'en foutraient de leurs locations de vacances !

Son oreille devenait douloureuse, écrasée sous l'ébonite.

— ... Eh bien dites-leur que la guerre est déclarée dans le métro... Je ne tolérerai pas qu'un seul de nos hommes soit dans la nature ! Compris ?

Il raccrocha puis se leva pour noter les chiffres des effectifs disponibles sur les plans de secteurs punaisés au mur. Michèle Fogel lui demanda de faire entrer un fonctionnaire des Renseignements Généraux qui s'était fait annoncer depuis une bonne dizaine de minutes. L'homme se planta au milieu de la pièce, raide dans son costume gris, le visage immobile.

— Je suis Paul Mousquet, commissaire. Vous m'avez demandé ?

— Pas vous spécialement... Asseyez-vous...

Il obéit et posa un bout de fesse sur un coin de chaise.

— ... Voilà. Nous avons besoin qu'on se charge rapidement de fouiller le passé de l'Italien, Enrico Conti, pour voir s'il n'était pas en contact avec les mouvements extrémistes iraniens.

— Pardon, commissaire, je vous ferais remarquer qu'il militait en Italie, et plutôt à l'extrême gauche...

Michèle Fogel balaya l'objection.

— Les terrorismes rouge, noir ou blanc s'appuient tantôt à gauche, tantôt à droite... Les poseurs de bombes ne sont pas sectaires. Ils ignorent souvent pour qui ils risquent réellement leur peau... Cherchez tous azimuts. Le mort du Châtelet venait de Beyrouth, par Roissy. Les gars de l'Identité ont retrouvé sa trace. Appelez-moi dès que vous mettez au jour le moindre indice. D'accord ?

Paul Mousquet se releva. Il s'inclina devant le commissaire, accorda un mouvement de tête à l'inspecteur et prit congé.

— Vous croyez que ce sera efficace ?

— Je ne crois rien, inspecteur : je mets le

maximum de filets à l'eau... Je ne connais pas d'autre méthode. Tout est au point dans les stations ?

— Oui, le dispositif se met en place. Chaque station sans correspondance est couverte par un homme qui reste en permanence sur le quai. Deux hommes dans les stations doubles, et ainsi de suite... Tous les points noirs genre Étoile, Denfert, sont surveillés par des équipes mobiles de trois hommes en plus de ceux qui occupent les quais. Ils ont ordre de ne pas quitter leur lieu d'affectation sans être remplacés...

Il fut interrompu par la sonnerie du téléphone de Michèle Fogel.

Elle demeura de longues minutes, le combiné appuyé sur l'oreille, à demi recouvert par ses cheveux, attentive, ponctuant le discours de son interlocuteur de rares hochements de tête affirmatifs. Elle reposa le téléphone.

— Vous connaissez Rodez, Deligny ?

— Non, je n'y ai jamais mis les pieds... Pourquoi ?

— Comme ça, au hasard. Moi, je sais seulement que c'est là qu'ils ont interné Antonin Artaud. Chez les dingues...

— J'aurai au moins appris ça aujourd'hui... C'était lui qui vous téléphonait ?

Elle fixa l'inspecteur, intriguée.

— De qui vous parlez ?

Il prit son air ahuri.

— Eh bien de cet Antonin Artaud... C'est votre histoire...

Michèle Fogel fut prise d'un fou rire.

— Ah, Deligny, vous devriez lire autre chose que vos manuels d'instruction... Je vous jure... Vous pouvez m'accompagner à la gare, il faut ramener la voiture...

— Vous partez ?

— Si je vais à la gare, ce n'est pas pour regarder les trains !

— Et vous allez où ?

— À Rodez, chez les dingues...

Il abandonna la partie.

— Je vous en prie, commissaire, je n'ai pas beaucoup dormi. Reprenez tout au début...

— Bon, un des employés de l'hôpital psychiatrique de Rodez a formellement reconnu l'homme du portrait-robot... Notre pousseur est parti de là-bas, il y a moins d'une semaine... Je viens d'en avoir la confirmation par le directeur. J'ai un train dans une demi-heure à Austerlitz. Filez devant, le temps que je passe un coup de fil à la voisine, qu'elle s'occupe des petites ce soir...

L'inspecteur était déjà sur la passerelle, en plein soleil. Les vigiles de la Brinks, en contrebas, escortaient la recette du restaurant de l'Arsenal vers le fourgon blindé. Quand Michèle Fogel le rejoignit, il la prit par le bras.

— On ne va pas courir dans tous les sens au premier appel... Avec les portraits-robots c'est toujours comme ça : ils vont être des dizaines à le reconnaître à travers la France...

Elle se dégagea d'un geste brusque.

— On (elle appuya sur le « on ») ne va pas

courir, en effet ! Je cours toute seule. Vous, vous restez ici pour maintenir le dispositif... Sachez d'autre part que je ne vais pas à l'aveuglette. Tenez-vous-le pour dit !

Elle fit le tour de la voiture et s'installa à la place du passager.

— Prenez le volant, Deligny et faites vite, je n'ai pas envie de manquer mon train.

Elle ne décrocha plus un mot du trajet. Deligny conduisait nerveusement, le visage fermé. La R 12 traversa le pont d'Austerlitz tandis qu'un métro en provenance de Bastille projetait son reflet haché par les entretoisements du viaduc, dans les eaux de la Seine.

Robert Portac et Hervé Chalion remontaient, de front, le couloir de correspondance de la ligne de Sceaux. Yves Bertin, le troisième élément du groupe mobile de surveillance de la station Denfert-Rochereau, les suivait à quelques mètres. Le policier de permanence se tenait sur le quai opposé, de l'autre côté des voies, à hauteur du panneau « Direction Nation », le dos contre la voûte afin que la courbure de la station ne dissimule rien à sa vue.

Robert Portac fouilla dans sa poche de veste pour retrouver le portrait-robot petit format distribué à tous les agents du métro ainsi qu'aux employés de la RATP. Il brandit le tirage devant la figure de Chalion.

— Tu as vu la tronche de dégénéré ? Une gueule comme ça, ça se repère à des kilomètres...

160

Les yeux fermés ! Je te parie qu'il ne passera pas la journée...

— À moins qu'il ait déjà filé.

— Non, ça m'étonnerait. En tout cas, ce n'est pas en restant ici, comme des cons, qu'on aura une chance de le coincer. On ferait mieux de sauter dans un métro et de sillonner le réseau. Tu ne crois pas ?

Hervé Chalion pencha la tête en arrière, vers le troisième policier.

— Et lui, qu'est-ce qu'on en fait ? Il va nous moucharder pour abandon de poste...

Robert Portac esquissa un sourire, les mâchoires serrées.

— Il fermera sa gueule, fais-moi confiance. Il a dû comprendre qu'on n'était pas des rigolos...

Une rame pénétra en station. Les deux policiers grimpèrent à l'intérieur. Yves Bertin se précipita.

— Hé, où vous allez ? On a des consignes...

Portac s'encadra dans l'ouverture de la porte.

— On s'en fout des consignes de gonzesse. On a une autre idée, nous, et on verra aux résultats. En attendant, tu sais ce qu'il te reste à faire... La boucler...

La sonnerie retentit. Portac recula d'un pas puis il s'installa contre une vitre, à l'opposé de Hervé Chalion. Chacun sa moitié de tunnel. Ils passèrent Raspail.

Robert Portac désigna le signal d'alarme placé près du plan de ligne.

— Si tu le repères, n'hésite pas à te servir de ce truc...

Hervé Chalion ne regardait pas. Il réalisa avec un léger contretemps et tapota la crosse de son arme en riant.

— Excuse-moi, je croyais que tu parlais de ça...

Robert Portac tourna la tête vers le tunnel, à l'approche d'Edgar-Quinet.

— Pour le flingue, je crois que je n'ai rien à te dire...

Une vieille femme prit place près de lui, bloquant son panier de courses contre sa jambe. Il resta silencieux l'espace de deux stations, dans le parfum des poireaux et des oranges.

Dès qu'ils furent à nouveau seuls, Portac apostropha Chalion.

— Tu as mis ton gilet de protection ?

— Non, on nous l'a pas demandé... Le gars n'est pas armé... Et ce n'est pas avec un gilet pare-balles qu'on arrête un métro qui vous fonce sur le coin de la gueule !

— Qu'est-ce qu'on en sait ? Il a déjà tué deux personnes...

Portac ouvrit sa veste et entrebâilla sa chemise bleutée.

— Regarde, ce sont les nouveaux gilets extra-minces... Ils les donnent pour efficaces à 100 %...

— Je n'en ai pas eu... J'ai toujours le « Bibendum » réglementaire... À qui faut s'adresser ?

— Au syndicat. C'est le moniteur de tir qui les

vend... Ça arrive droit des États-Unis... Il paraît que ça arrête les balles de 357 magnum !

Hervé Chalion émit un sifflement admiratif.

— Ben dis donc, c'est encore mieux que du Thermolactyl !

CHAPITRE XVI

Le commissaire arriva en gare de Rodez peu après dix-huit heures. Elle se fit aussitôt conduire à l'hôpital psychiatrique. Le taxi traversa la vieille ville inondée de soleil. Juste le temps d'apercevoir la façade nue de la cathédrale Notre-Dame, et la voiture plongea sur la vallée de l'Aveyron. Le voyage l'avait fatiguée. Michèle Fogel piquait du nez quand le taxi entra dans la cour d'un vieil hôpital aux murs sombres. La voiture stoppa dans un bruit de gravier.

— Voilà, vous êtes à destination.

Elle régla la course puis gravit les marches du pavillon d'accueil. Le chauffeur lui lança :

— Bon courage !

Puis repartit vers la ville. Elle le regarda s'éloigner, surprise.

Un homme s'avançait à sa rencontre.

— Il pensait que vous veniez rendre visite à un parent... Vous êtes le commissaire Fogel, n'est-ce pas ? Professeur Derdrière...

Elle se fit la réflexion qu'il ressemblait à Georges Marchal, grand, mince, la soixantaine épanouie, les cheveux solidement plantés sur le crâne, le tout accompagné d'un sourire de commande qui découvrait une exposition de quenottes étincelantes.

— Oui, c'est moi. Enchantée.

Il s'effaça pour lui laisser le passage.

— Donnez-vous la peine d'entrer. Vous avez fait bon voyage ?

Elle s'engagea dans un couloir anonyme. Il lui fallut s'habituer à la pénombre et à la fraîcheur régnant à l'intérieur du bâtiment. Le directeur désigna une porte, à sa droite.

— C'est ici...

Ils entrèrent dans un bureau dont les volets avaient été tirés. Une rampe lumineuse, au plafond, éclairait les étagères d'une bibliothèque vitrée remplies de pliages en papier.

Le professeur Derdrière lui tendit un fauteuil en cuir, puis il s'installa derrière son bureau, les coudes sur le plateau vide, le regard braqué au-dessus de ses lunettes, dans la pose inquisitoriale du psy en début de traitement.

— Alors, que désirez-vous savoir de plus ?

— J'aimerais, tout d'abord, que vous me répétiez, de vive voix, ce que vous m'avez déclaré ce matin au téléphone.

Il ôta ses lunettes et les posa entre deux origamis représentant l'un un dragon, l'autre la tour Eiffel.

— Bien entendu, si vous le jugez utile...

— C'est indispensable.

Il remit ses lunettes.

— C'est assez simple, en somme : un de nos employés, qui exerce les fonctions de gardien et de jardinier, a reconnu l'un de nos anciens malades sur le portrait-robot diffusé par la presse...

Michèle Fogel lui coupa la parole.

— Il est le seul à l'avoir identifié ?

— Non, seulement le premier ! Lorsqu'il nous a présenté le dessin, nous avons tous reconnu Jacques Courtal... Dans la minute.

— À quelle époque est-il sorti de votre établissement ?

Il hésita une fraction de seconde.

— Fin mai. Il y a presque une semaine... Je vais faire apporter son dossier.

— Non, ne vous dérangez pas. Ce n'est pas urgent, nous vérifierons ce détail plus tard. Il était donc guéri ?

Le professeur se saisit alors avec d'infinies précautions de la tour Eiffel de papier et la disposa à l'opposé du dragon afin d'établir une symétrie.

— Guéri ? La preuve que non ! Nous sommes confrontés à l'un de ces rarissimes cas de simulation absolue... Nous avons décidé en toute conscience, en nous entourant de toutes les garanties. Une exception de ce genre est inévitable... Ou alors il faudrait se résoudre à interner la moitié de la population de ce pays...

— Il n'en demeure pas moins que vous l'avez remis en circulation !

Il ramena la tour Eiffel à sa place initiale, sans

ménagement, laissant la marque de ses doigts dans le pliage, à hauteur du second étage.

— Écoutez, madame, Jacques Courtal a été admis dans cet établissement en 1964. Il avait à peine vingt ans. Trois mois auparavant, on l'avait projeté sous une rame de métro. Accidentellement. Des gens qui se battaient derrière lui, près d'un portillon. Vous connaissez la suite : bousculade incontrôlée... Le conducteur de la rame a freiné à temps pour ne pas le tuer. Il s'en est tiré avec un pied abîmé, quelques brûlures dues à une décharge électrique et une amnésie totale... Le choc ? La peur ? Peut-être les deux à la fois...

— On n'a jamais réussi à déterminer qui l'avait poussé ?

— Non. Dans ces cas-là, c'est la faute à tout le monde... Autant dire la faute à personne.

Michèle Fogel se leva pour se détendre. Elle s'approcha de la bibliothèque et remarqua qu'aucune des sculptures de papier ne supportait la plus infime trace de poussière.

— Il avait retrouvé la mémoire ?

— Partiellement. Assez, en tout état de cause, pour le remettre dans le circuit normal... Du moins pour en prendre le risque. Un risque mesuré. Nous n'avons jamais rencontré le moindre problème avec lui en vingt années. Une conduite exemplaire. Depuis bientôt deux ans, nous avions supprimé les calmants. Il se réhabituait progressivement à sa nouvelle vie... Vous avez entendu parler de l'accueil en milieu ouvert ?

Le commissaire acquiesça. Le professeur poursuivit son exposé.

— ... Nous l'avons tout d'abord confié à une famille des environs de Rodez, à différentes reprises... Quelques jours, puis une semaine. Sans aucun soutien médical. Ensuite il est resté seul durant plusieurs week-ends, pour tester son autonomie... Cette fois, il sortait pour dix jours... Rien ne laissait présager...

Il se tut. Michèle Fogel laissa le silence s'installer. Les notes prises au rythme de la parole grisaient une double page du calepin. Elle revint en arrière, pour se remettre en tête la conversation téléphonique du matin, comme elle aurait fait avec un magnétophone... Elle relut les phrases griffonnées à la hâte. La chambre... C'était sûrement cela qu'elle était venue chercher. Elle prit appui sur le bord du bureau et se pencha vers le professeur.

— Vous m'aviez parlé de sa chambre...

Il se leva à son tour, incapable plus longtemps d'être dominé par son « patient ».

— En effet. C'est une chose très curieuse... Le mieux est encore d'aller la visiter. Permettez-moi d'appeler le gardien. Il y travaillait en compagnie de Courtal.

Le professeur Derdrière décrocha son téléphone. Il pianota un numéro intérieur à trois chiffres.

— Monsieur Soumel ? Rejoignez-nous dans la chambre 38... oui, celle de Courtal. Je suis en compagnie du commissaire Fogel, de Paris.

Puis il se dirigea vers la porte, l'ouvrit et d'un

geste de la main enjoignit à Michèle Fogel de sortir.

L'air semblait s'être encore alourdi le temps de leur entretien. Une sorte d'orage retenu, moite, qui pesait sur les nerfs. Ils croisèrent, en traversant le parc qui séparait les bâtiments administratifs des dortoirs, de nombreux groupes de malades accompagnés d'infirmiers et de soignantes. L'apparition du directeur figeait les attitudes, sans que l'on puisse en déduire la crainte ou le respect. Seule une femme aux cheveux raides, édentée, se précipita vers lui pour le saluer d'une voix chuintante. Il détourna la tête afin de masquer son irritation.

— Vous vous rendrez compte par vous-même... C'est très étonnant. Nous le laissions faire à son idée. Dans bien des cas, cela constitue la thérapie idéale.

La femme continuait à sourire, le visage comme aspiré par la bouche. Michèle Fogel renoua le fil d'une idée qui ne l'avait pas quittée durant tout le voyage.

— Vous avez connu Antonin Artaud ?

Le directeur marqua un temps d'arrêt. Il leva les yeux sur le commissaire pour répondre, séparant chaque syllabe.

— Non, je suis arrivé bien après...

Il reprit sa marche sans spécifier ce qui venait à la suite de cet « après... ». Les dortoirs occupaient l'essentiel d'un vaste bâtiment rénové dans lequel flottait l'odeur habituelle de médicament, d'urine et de cantine. Ils franchirent un long couloir aux murs vert pistache, s'engouffrèrent à l'intérieur d'un ascenseur étouffant qui alluma ses témoins d'étage jusqu'au troisième niveau. Un homme d'une cinquantaine d'années, court sur pattes, râblé, se tenait devant la porte numéro 38. Il portait un bleu très large, humide de terre à hauteur des genoux, dont les bretelles étaient passées à même un tricot de corps blanc. Il souleva sa casquette de son front à l'approche du directeur, sans la quitter.

Le professeur Derdrière s'immobilisa.

— Voilà, nous sommes arrivés... Vous avez la clef, monsieur Soumel ?

Pour toute réponse le gardien ouvrit la porte, essuya ses sabots de caoutchouc avant de pénétrer dans la pièce. Il poussa les volets. Le soleil déclinant éclaira violemment la chambre. Michèle Fogel eut besoin de quelques instants pour s'habituer à l'extrême clarté puis elle détailla, sans tout à fait l'intégrer, le tableau qui s'offrait à ses yeux, progressant du mur situé à sa droite au lit bloqué contre la paroi opposée.

Elle vit tout d'abord la cuvette des WC, encombrée de signaux, sur laquelle prenait appui une sorte de long serpent de carton enduit de plâtre qui courait autour de la pièce.

Des WC, il grimpait sur le lavabo pour gagner, après un long virage, le dessus d'un tabouret puis la table. De là, il plongeait vers le lit, plus précisément le cosy-corner verni dans lequel le meuble s'encastrait. Enfin, il revenait en boucle sur le siège des WC.

Elle s'approcha.

Les parois parallèles, d'une quinzaine de centi-mètres de haut, abritaient les doubles voies d'une sorte de train électrique bricolé. À l'exception des rails, tous les matériaux semblaient être le résultat d'une minutieuse et patiente récupération : signaux confectionnés à partir de couvercles de yaourts, affiches miniatures découpées dans des revues, escaliers en allumettes collées...

Michèle Fogel pivota, à nouveau, en direction du lit. Un examen plus attentif lui révéla que l'élément supérieur du cosy-corner supportait, en fait, une station de métro reconstituée dans le moindre détail, avec ses panneaux de direction, de correspondances, ses bancs, les vestiges des caténaires, la guérite du chef de quai... Le tout était peint à la gouache, jusqu'aux reflets des néons sur les carreaux de céramique.

Le commissaire agita la tête de droite à gau-che, sidérée.

— C'est Courtal qui a fabriqué tout cela ?

Le gardien plongea ses mains dans le boyau à ciel ouvert qui obstruait la pièce.

— Oui, pour ainsi dire... Je lui ai donné un petit coup de main : c'est mon dada, les maquet-tes... J'ai travaillé quinze ans à la SNCF, avant de venir ici... Alors, le métro, le fer, c'est un peu la même famille. Ça ne vous quitte jamais... On a beau essayer...

Il se releva, tenant à bout de bras une rame minuscule. Il remonta le mécanisme situé sur le côté de la motrice avant de la reposer, à quai, dans la station. Michèle Fogel remarqua, alors, que l'ensemble des plaques ne portaient que la lettre « C » isolée, à gauche, sur la surface émaillée bleue.

Soumel, le gardien, se redressa en libérant le moteur de la rame. Il la prit à témoin, le visage radieux, comme un enfant dont on vient de réparer le jouet.

— Et ça marche ! On a failli tout démonter, quand il est parti. Et puis monsieur le directeur a bien voulu que tout reste en place... Des fois qu'il revienne...

Le commissaire désigna les panneaux.

— Pourquoi n'avez-vous pas baptisé la station ? Juste un « C »... On dirait une halte fantôme...

— Il voulait que ce soit comme ça... Il y tenait. Allez savoir ce qui leur passe par la tête...

Le directeur se rapprocha de la porte, pressé d'en finir.

— Vous allez pouvoir refermer, monsieur Soumel...

Puis se tournant vers le commissaire :

— Cet accident dont je vous parlais, dans mon bureau, s'est produit à « Chardon-Lagache »... Je présume qu'il ne se souvenait que de la première lettre du nom de la station... Ce n'est qu'une hypothèse...

Le gardien referma les volets. Le commissaire s'apprêta à sortir puis se ravisa. Elle revint vers le lit et baissa son visage au niveau des quais, observant les quelques personnages en plâtre peint qui faisaient mine d'attendre la rame dont on entendait la progression entre les murs de carton.

— C'est également Courtal qui fabriquait les figurines ?

Soumel approuva en tendant ses mains, les paumes vers le plafond.

— Oui. C'était un as ! Des doigts en or !

Michèle Fogel rappela le professeur Derdrière qui revint dans la chambre sans grand enthousiasme.

— Baissez-vous, monsieur le directeur. Vous ne remarquez rien ?

Il vint s'accroupir près de Michèle Fogel. Leurs visages surplombaient les voies. La rame frôla le carton dans une courbe. Ses roues patinèrent, se soulevèrent un instant avant de raccrocher les rails.

— Non, rien de spécial... Qu'avez-vous vu ?

Michèle Fogel pointa un doigt vers deux figurines posées l'une derrière l'autre. La première se tenait au bord du quai, les pieds sur la ligne blanche. Jacques Courtal semblait s'être représenté, jeune, en position de victime. Derrière lui un homme brun, moustachu, vêtu d'une veste bleu marine et d'un pantalon gris, tenant à la main un paquet indistinct, s'apprêtait à le bousculer.

Jacques Courtal était en équilibre instable, la tête légèrement tournée vers l'arrière, comme s'il inscrivait dans sa mémoire le physique de celui qui allait le précipiter dans la fosse. Michèle Fogel tendit son index droit sur la figurine.

— Vous ne le reconnaissez pas ?

La rame miniature déboucha du tunnel, dévalant du lavabo. Le commissaire ôta vivement son bras pour la laisser passer. Sa main, en se repliant, frôla le plâtre. La figurine oscilla sur son socle fragile avant de basculer dans la fosse. La motrice du métro remonta la station à pleine vitesse ; elle percuta le personnage qu'elle traîna dans le tunnel du cosy-corner, sur une dizaine de centimètres, avant de dérailler et de se coucher sur le ballast, les roues avant maculées de plâtre.

Michèle Fogel se releva, les mâchoires serrées.

Le gardien dégagea la rame, puis, du bout des doigts, ramassa les morceaux de statuette qu'il disposa sur le quai.

Le commissaire l'observa. Son regard dériva sur la seconde figurine, celle qui représentait le pousseur involontaire. Elle s'en empara. Le directeur haussa les épaules.

— Que faites-vous donc ?

Elle la brandit à hauteur de leurs visages.

— C'est incroyable ! Ce moulage ressemble trait pour trait aux deux gars que Jacques Courtal a précipités sous le métro à Châtelet et Corentin-Cariou...

— Vous en êtes sûre ?

— Je les ai vus de très près, croyez-moi ! Deux bruns à moustache, jeunes, portant des vestes bleu foncé et des pantalons gris... Personne n'avait encore fait ce rapprochement entre les deux victimes...

Le professeur l'entraîna vers le couloir.

— Vous devez l'arrêter au plus vite, commissaire. J'ai bien peur qu'il ne cherche indéfiniment à retrouver celui qui l'a poussé il y a vingt ans...

— Vous croyez qu'il va continuer ?

— Oui, j'en suis convaincu maintenant... Pour lui, tout se passe comme si personne n'avait vieilli. En somme, son accident date, dans son système, de la veille... Et son pousseur involontaire se voit doté des mêmes propriétés : il est demeuré inchangé durant tout ce temps. Inchangé mais flou... Au point que Courtal ne sera jamais certain d'avoir éliminé le bon...

Le gardien remit de l'ordre dans le circuit puis il ferma la porte. Dans le parc, les infirmiers repoussaient doucement les malades vers les bâtiments. Le soleil, au déclin, teintait d'orange les collines posées sur la route de Decazeville.

Elle se rassit dans le même fauteuil tandis que le directeur compulsait un dossier dont la sangle effilochée pendait au coin du bureau. Il tria les papiers pour en extraire une photo qu'il tendit au commissaire.

— C'est vrai que votre portrait-robot n'était pas très éloigné de la réalité...

Elle voulut se lever et récupérer le cliché mais la sonnerie du téléphone interrompit son geste. Le professeur Derdrière décrocha le combiné.

— Oui, elle est près de moi... Un instant, je vous la passe...

Il agita l'appareil en direction de Michèle Fogel.

— C'est pour vous.

Le commissaire se saisit du téléphone et porta le plastique gris et chaud à son oreille.

— Commissaire Fogel à l'appareil... Non ! Ce n'est pas vrai... J'arrive le plus vite possible... Pas avant demain dans la matinée... qu'est-ce que vous croyez, ce n'est pas simple de remonter de Rodez !

Elle masqua l'émetteur du plat de la main pour parler au directeur.

— Il vient de faire une troisième victime... Il y a moins d'une heure...

— À quel endroit ?

Michèle Fogel lui fit signe de patienter. Elle reporta toute son attention sur la communication, les sourcils plissés.

— Dans quelle station cette fois ?... Château-Landon... Ça ne m'étonne pas... Encore un « C » !

Son correspondant manifesta de la surprise car elle s'expliqua.

— ... Oui, encore un « C », comme « Châte-let », « Corentin-Cariou », ou « Chardon-Laga-che » ! Oui, « Chardon-Lagache »... Je vous ferai un dessin, inspecteur... Autre chose, est-ce que la victime est un homme d'environ vingt-cinq ans, cheveux bruns, moustache, habillé d'une veste bleu marine et d'un pantalon gris ? Oui...

Elle exulta.

— ... Comment je le sais ?... C'est pourtant simple, Deligny. Venez faire un tour à l'hôpital psychiatrique de Rodez, on vous fera visiter son métro... C'est la seule façon de comprendre !

Le train de nuit qui regagnait Paris roulait pratiquement à vide. Elle se retrouva seule dans un compartiment couchettes. Elle ne baissa pas les rideaux, et, au milieu des ténèbres mouvantes, à la faible lueur d'un faisceau de lecture, elle observa, dans la profondeur des vitres, le reflet de son corps nu qui se mêlait au paysage.

CHAPITRE XVII

Jacques Courtal dormait recroquevillé dans une niche du tunnel. Il n'avait pas osé s'aventurer plus avant, seul, et s'était tassé dans le premier creux venu, avec des gestes de somnambule. Le sommeil l'avait gagné, à peine réfugié, sans pour autant dissiper l'angoisse. Une nuit brève, de frissons, de stridences lointaines, d'approches indéfinies. Il lui avait semblé être frôlé, fouillé peut-être, incapable de la moindre réaction, les membres lourds... Puis le silence, enfin, sur les rails. En s'éveillant à temps il aurait pu entendre les cris des employés s'interpellant de quai à quai, le pas traînant du conducteur remontant la rame. Jusqu'au crissement des grilles, ouvertes sur le boulevard Jourdan, qui dévalait les marches, répercuté par les murs de céramique sans fin, pour emplir le volume entier de la station inactive.

La première sonnerie, le premier claquement de portes, les voitures closes s'élançant avec leur chargement d'hommes silencieux aux paupières baissées...

178

La vibration de l'air l'alerta. Le hurlement des roues dans la courbe d'accès à Alésia le figea sur place alors qu'il tentait de se lever pour rejoindre la station. À sa droite, les phares de la motrice grossissaient à chaque seconde. Un cri terrible lui vint aux lèvres, étouffé par le fracas des voitures. La gifle d'air le rejeta au fond de sa niche, abruti de peur et de bruit. Là-bas, déjà, la rame faisait sa première halte de la journée. Elle reprenait sa course coutumière quand il cessa de hurler.

La conscience lui vint lentement qu'il disposait d'un maximum de cinq minutes avant le passage du métro suivant. Il se leva de nouveau, tremblant, le dos collé à la paroi. Il progressa mètre par mètre sur le ballast étroit, les yeux rivés au rail mortel, sursautant aux échos assourdis qui peuplaient le tunnel.

Il lui restait dix mètres à parcourir, quand la seconde rame abaissa son patin d'alimentation dans l'obscurité du terminus. Dans moins de deux minutes elle serait là, entourée de son rugissement électrique. Il se mit à courir, sa jambe raide accrochant les graviers, butant sur les traverses de béton, la main gauche agrippée aux torsades de fils sombres tendues sur la paroi.

Le train le doubla à l'entrée de la station. Jacques Courtal se jeta sur le bref escalier d'accès au quai, une demi-douzaine de marches surmontées d'un portillon jaune, le visage enfoui dans ses bras repliés.

Il attendit ainsi que le métro s'éloigne puis, courbé, attentif à tout ce qui habitait la station, il franchit l'ultime obstacle qui le séparait encore du monde des vivants.

Quelques immigrés s'installaient sur le long banc, sous la pancarte des premières classes. Un regard glissa sur lui, ses habits sales, son air de bête traquée... Un regard neutre, fatigué, qui le rassura, passé la seconde inquiète de la rencontre.

D'autres voyageurs arrivaient maintenant, diluant sa présence. Au milieu d'un groupe compact il aperçut la tache bleue des uniformes. Il se dissimula à leur vue à l'aide d'une page de journal dépliée en catastrophe.

Il se décida à monter dans le wagon de queue après avoir vérifié que les deux agents avaient franchi les portes d'une voiture de tête.

La peur reflua après un quart d'heure de voyage.

Pour qu'il se rappelle sa faim...

CHAPITRE XVIII

Michèle Fogel retrouva la gare d'Austerlitz sans déplaisir. La première image qu'elle intégra, totalement hors du sommeil qui l'avait poursuivie en pointillé à travers la France, fut celle de l'armature métallique de la ligne de métro numéro 5 passant au travers des halls, au ras des verrières.

L'inspecteur Deligny l'attendait sur un parking attenant aux Magasins Généraux, en surplomb de la Seine. Ils longèrent le viaduc courbe enserrant la morgue entre ses piles de fonte et gagnèrent la Bastille dans les encombrements naissants.

— Pas trop fatiguée, commissaire ?

Elle étira son corps, la nuque renversée sur l'extrémité du siège.

— Je vous mentirais en disant que c'est la grande forme !

Deux femmes sans âge, des Portugaises, la tête recouverte d'un fichu sombre, cassées en deux vers le sol, finissaient de passer la serpillière. Elles s'éclipsèrent à leur approche en laissant derrière elles une odeur de Javel et de poussière remuée. La ronde régulière des rames, de l'autre côté de la cloison, succéda au sifflement saccadé de sa nuit ferroviaire.

L'inspecteur égrena la litanie attendue des coups de fil, des coups de gueule. Toute la hiérarchie professionnelle pesait sur elle, se reposait sur elle ! Les politiques s'abritaient derrière le préfet... Il assumait encore son rôle public et inventait des raisons d'espérer que journaux et télés répercutaient dans le pays, assaisonnées de leur sauce particulière. Michèle Fogel ne se berçait pourtant pas d'illusions : elle faisait office de premier fusible, sans plus... Dès que les sous-entendus, les entre-les-lignes monteraient en manchettes, on n'hésiterait pas une minute à la faire gicler ! Femme, flic... Une aubaine pour habiller l'échec.

Tard dans la soirée, une cellule de crise réunie au Ministère de l'Intérieur avait décidé de déclencher l'opération « Métropolice », pour enrayer le sentiment de paranoïa qui avait envahi le réseau souterrain.

Michèle Fogel hocha la tête à la nouvelle.

— J'en étais arrivée à la même conclusion... Ça rassure de constater qu'on est toujours dans le coup...

L'inspecteur, visiblement, ne partageait pas son avis.

— Vous n'êtes pas d'accord, Deligny ?

— Non... Partir en grandes manœuvres, ça signifie aussi que nous ne sommes pas capables de nous en tirer seuls... On appelle les CRS et les gardes mobiles à la rescousse comme si nous étions dépassés par les événements, largués...

— Je raisonnerais de cette manière si nous n'avions pas trois cadavres en charpie sur les bras ! Plus un malade en liberté prêt à rallonger la liste à la moindre occasion... On ne nous pardonnera pas la plus petite hésitation. Mettez-vous ça dans la tête, inspecteur... Dans les coulisses, il y en a des tas qui s'apprêtent à nous coller la responsabilité de l'hécatombe sur le dos... Justement pour rester en coulisses...

— Il n'empêche qu'on passe pour des incapables !

— Les CRS, les gardes mobiles, les compagnies de district vont descendre dans le tube, d'accord... Si on me proposait l'armée, je crois que je dirais OK ! Le plus urgent, c'est de mettre un terme à la série en montrant qu'on ne lésine pas sur les moyens... C'est une mesure avant tout psychologique.

— En conclusion on monte une superproduction... Je doute que ce soit très efficace.

— Nous en reparlerons quand tout sera terminé, Deligny. Je n'aurai pas trop de la matinée pour faire le tour des officiels. L'opération démarre à quelle heure ?

L'inspecteur jeta un coup d'œil à son poignet, par réflexe.

— Dans trois heures... À dix heures pile.

— Bien. Vous vous sentez de taille à suivre la mise en place du dispositif ?

Elle n'attendit pas la réponse de l'inspecteur.

— ...Vérifiez tout en détail, je ne veux pas d'un quatrième cadavre !

Deligny se détendit.

— Même pas celui du dingue ?

— Ni celui-là ni un autre... Nous devons l'attraper vivant. C'est un malade, nous n'avons aucun intérêt à éliminer un pauvre type désarmé... Donnez des ordres en conséquence.

L'inspecteur se contenta de hausser les épaules. L'énervement, le manque de sommeil lui asséchaient les idées. Il sortit dans le couloir et poussa la porte du service des transmissions-radio. L'ensemble des différentes équipes avait été mobilisé pour la phase initiale de l'opération. Des flics en chemise, les oreilles écrasées par leurs casques, comme pour l'exercice de tir, occupaient les six postes de liaison. Le responsable du service, un passionné d'informatique qui lui tapait passablement sur le système, vint à sa rencontre sans quitter des yeux les pages d'un dossier qu'il tenait ouvert entre ses mains.

— Tout est en place, inspecteur. Nous attendons vos ordres...

Il n'espérait, en fait, que le signal du départ, sec, pour prouver la rigueur de son organisation.

L'inspecteur détailla en silence les cartes affichées sur les murs : les quatre-vingts quartiers de Paris avec leurs numéros de code, les fréquences, le descriptif des stations, la liste des effectifs « Métropolice » à mettre en action... Compagnie du métro, compagnies de district, gendarmes, CRS...

Deligny fixa le gars des transmissions.

— Tout le monde doit être à pied d'œuvre à dix heures pile. C'est vous qui coordonnez l'opération de ratissage en maintenant un contact permanent avec le central de la RATP. Assurez-vous, à chaque fois, que les photos du dingue ont été diffusées en nombre suffisant... Sinon qu'ils en prennent dans les guichets de distribution des billets, ils en ont des stocks en réserve.

Le responsable du service approuvait sans parvenir à masquer son irritation.

— Tout est noté sur la check-list...

— Eh bien rajoutez-y deux points : premièrement rappelez à nos hommes qu'ils sont affectés à une station bien précise et qu'ils ne doivent pas en bouger sans ordres. Deuxièmement que le dingue doit être pris vivant... Pas de western... Je file au centre de contrôle de la RATP. Vous pouvez me joindre là-bas à tout moment.

Il sortait à peine que les six flics ajustaient leurs casques et leurs micros.

— Cinquième compagnie de CRS ? Confirmation « Métropolice ». Opération fixée à dix heures précises. Vous êtes affectés aux quartiers « Villette », « Pont de Flandre », « Amérique », et « Combat ». Le PC opérationnel est maintenu rue de Nantes...

Les gardes mobiles héritaient des « Enfants-Rouges », une compagnie de district des « Épinettes » et des « Batignolles ». Tout un tas de noms oubliés sonnaient dans la pièce à la faveur de la mise en alerte. La « Folie-Méricourt », la

« Roquette », « Croulebarbe », les « Grandes-Carrières »... Des noms de barricades sortis tout droit des courtes légendes bloquées sous les images tricolores des vieux Isaac et Mallet.

Le central de contrôle de la RATP était installé à deux pas de la Bastille, dans l'ancien dépôt d'autobus du boulevard Bourdon. Outre le Poste de Commande Centralisé de la ligne numéro 1, les locaux abritaient le standard téléphonique de l'ensemble du réseau souterrain. Deligny pouvait ainsi établir le contact avec chacune des 358 stations de Paris et de la périphérie. Le chef de régulation buvait un café devant le panneau de contrôle optique, une sorte de labyrinthe mural constitué de lignes lumineuses colorées, des faisceaux, des signaux, des bornes rouges clignotantes... Un opérateur pianotait sur les touches de l'ordinateur pour afficher le code de la rame 24.

L'inspecteur poussa la porte vitrée et pénétra dans la salle climatisée. Le chef de régulation tourna la tête. Il posa son gobelet et s'approcha.

— Vous êtes ponctuel, inspecteur. Vous voulez un café ?

— Ce n'est pas de refus... Vous êtes parés ?

L'homme en blouse blanche l'entraîna près d'un distributeur de boissons et glissa de la ferraille jaune dans le monnayeur.

— Avec ou sans sucre ?

— Avec... Alors, ça se présente bien ?

La machine digéra les pièces et recracha un gobelet plastique.

— Oui, tout est parfaitement en place. On n'a

encore jamais déclenché « Métropolice » mais nous faisons un exercice de simulation chaque année. Vous connaissez l'installation ?

Alain Deligny balada son regard sur les appareils de contrôle.

— En gros, oui... Disons que je sais à quoi ça sert mais je serais bien incapable de me mettre aux commandes ! Vous pouvez intervenir sur n'importe quelle rame du réseau ?

Il se baissa pour extraire le café de son compartiment.

— Qu'entendez-vous exactement par « intervenir » ?

— Le faire stopper dans la seconde, par exemple...

— Vous avez des cuillères sur le côté. Oui, sans problème. Il est possible de couper l'alimentation sur cette ligne ou de donner l'ordre à la sous-station concernée, pour les autres lignes.

Alain Deligny avala une gorgée de liquide en faisant la grimace.

— Quand le métro est arrêté, on peut maintenir les portes bloquées ?

— Oui, il suffit de se mettre en rapport avec le conducteur de la rame, par téléphone...

— J'espère que ça marche mieux que chez nous : dès qu'on est trop profond, le matériel se met en carafe !

— Pas de danger de ce côté, notre système de haute fréquence est couplé au rail. L'écoute est parfaite.

L'inspecteur se dirigea vers un employé entouré d'écrans de télévision.

— Tout va bien ?

Le gars se frotta les yeux et bâilla.

— Ouais, ça roule... Je suis prêt à recevoir les images des caméras de quai. Il y a un écran par ligne ; s'il montre le bout de son nez dans n'importe quelle station, on me l'envoie en direct ici... Je ne lui donne pas une chance sur mille de s'en sortir !

Pendant ce temps des dizaines de cars gris, bleus, noirs, pie, franchissaient les grilles des casernes et des commissariats, chargés d'hommes. Devant chaque bouche de métro la même scène se répétait, braquant les regards des passants : un camion stoppait accompagné du bruit sec des portes qui s'ouvraient, laissant le passage à un quarteron de policiers. Le commando s'enfonçait dans les profondeurs de la station tandis que le véhicule s'en allait déjà effectuer sa livraison d'ordre à la bouche suivante.

Les CRS, les gardes mobiles, les compagnies de district opéraient leur liaison dans les halls avec leurs collègues de la Brigade du métro qui leur faisaient les honneurs de leur antre. À Châtelet-Les Halles, au débouché du tapis roulant en pente, deux CRS en battle-dress se mettaient en forme en expulsant un vendeur d'avocats. Les flics de ronde débouchèrent d'un couloir.

— Laissez-le tranquille celui-là, on le connaît... Ça fait un an qu'il tient sa boutique... Il fait partie du paysage. Venez plutôt jeter un œil par là...

Les CRS lâchèrent leur proie et suivirent les policiers jusqu'à une porte en bois peint située à quelques mètres du carrefour des lignes du métro et du RER.

Ils entrèrent tous dans une pièce minuscule aux murs carrelés, comme un vestiaire de piscine. Le réduit était vide, à l'exception d'un banc serré contre le mur mitoyen au couloir. L'un des flics se hissa sur le banc, face à la paroi.

— Tiens, toi, grimpe à côté de moi, tu vas comprendre !

Le CRS interpellé s'exécuta. Il vint se placer près du policier. Ses yeux se trouvaient à la hauteur d'une mince plaque de verre, légèrement fumée, qui dissimulait une sorte de meurtrière aménagée dans le mur. La fente, taillée en biseau, découvrait l'ensemble du carrefour stratégique.

— C'est vraiment pas con, ce système ! Je n'y aurais jamais pensé...

Le policier sauta à terre, flatté de faire l'admiration d'un CRS.

— Il faut bien arriver à les coincer, les pickpockets... Ils bossent à trois ou quatre en se refilant les portefeuilles à toute vitesse. Le temps que tu bloques le tireur, c'est déjà trop tard, il s'est débarrassé du butin ! Tandis qu'ici, avec ton talkie-walkie, t'es aux premières loges. Un signal et le collègue resté dans le couloir l'alpague à la seconde près...

189

En sortant les deux CRS levèrent la tête vers la courbe de la voûte. Légèrement à gauche de la porte la rangée de carreaux blancs faisait un écart imperceptible...

CHAPITRE XIX

Robert Portac et Hervé Chalion sillonnaient à nouveau les lignes à la recherche du pousseur. Leur présence attirait les sympathies. De nombreux usagers leur adressaient des regards appuyés, quelquefois des félicitations franches.

Leur escapade de la veille ne s'était pas ébruitée. Pas la moindre remarque. Le flic rose de Denfert-Rochereau ne l'avait pas ouverte ! Chalion extirpa une photo de sa poche de vareuse.

— Il le porte vraiment sur sa gueule...

Robert Portac se passa les doigts sur le menton pour s'assurer qu'une coupure, résultat d'un rasage trop rapide, se cicatrisait.

— Eh bien quoi, c'est un frappé ! Tu t'attendais à lui voir la tête d'Alain Delon ?

— Non, ce n'est pas ça... Trois meurtres sur le paletot, et il nous tient en haleine... Nous et toute la flicaille de Paris ! Il se débrouille plutôt pas mal pour un dingue !

— Qu'est-ce que tu racontes ! Il n'y a rien de plus facile que de pousser un type qui ne s'y attend pas... C'est une autre paire de manches que d'appuyer sur une gâchette...

La rame quitta le quai de la station Dupleix. Deux gardes mobiles plantés devant une affiche de couches absorbantes les saluèrent au passage. Hervé Chalion secoua la tête en affectant un air désolé.

— Une détente !

— Quoi une détente ? De quoi tu parles ?

— Tu as dit « appuyer sur une gâchette »... On appuie sur la détente : la gâchette, c'est planqué à l'intérieur. Je me suis assez fait engueuler par l'instructeur !

Robert Portac le poussa du coude.

— Il avait raison ton prof... Je ne connais pas de meilleure détente que de tirer un coup !

Ils se mirent à rire, chacun contre leur vitre.

Une jeune femme vêtue d'une large jupe d'été s'était installée sur un strapontin du compartiment situé devant eux. Elle lisait un gros volume à la couverture vive, de ces livres qui s'ensablent, un mois durant, sans qu'on atteigne le mot fin. Les cahots, les prises de vitesse l'obligeaient à appuyer ses pieds au sol pour maintenir l'équilibre sur son siège étroit. Elle croisa les jambes à la faveur d'une portion droite autorisant une conduite moins heurtée. L'étoffe légère glissa sur la peau inclinée.

Le regard de Portac s'insinua immédiatement, suivit le trait de chair des deux cuisses superposées, comme s'il était en son pouvoir d'accroître la dérive du tissu.

L'afflux des voyageurs, à La Motte-Picquet, les obligea à céder leurs places assises. Portac parvint à se faufiler derrière la fille que la foule soudaine avait contrainte à replier son strapontin. Au prix de quelques contorsions il fut contre elle, sa tête frôlant la chevelure blonde. Puis, le cœur battant, les yeux à demi clos, il laissa aller son corps contre cet autre, inconnu.

Le premier contact ne l'alerta pas : elle se contenta de tourner une page. Portac s'enhardit ; il tendit la main vers la barre d'appui, profitant de ce geste machinal pour écraser le bas le son corps sur les fesses de la jeune femme. Elle inclina la tête, vivement, le visage renfrogné. La vue de l'uniforme la rasséréna. Portac maintint la pression et la ligne 6 emporta son érection jusqu'à la station Cambronne à partir de laquelle, délestée des groupes d'employés se rendant à l'Unesco, la population raisonnable du wagon ne lui permit plus de se tenir aussi près de la lectrice passionnée.

Michèle Fogel réserva sa première visite au préfet. Il lui fallut patienter. « Monsieur », comme disait l'huissier en effectuant une courbette qui lui faisait saillir le derche, « Monsieur » n'allait pas tarder à arriver. Elle occupa ce quart d'heure à détailler les tentures, les marqueteries, les dessins des planchers, puis, sans que rien se soit apparemment passé, l'huissier lui ouvrit les doubles portes du bureau. La vaste salle au sol couvert de laine blanche l'impressionna au moins autant qu'à sa visite précédente. Elle posa un pied qui se perdit dans les hautes mèches. On avait tiré stores et rideaux et les fenêtres inondaient la pièce de lumière. Un rayon de soleil s'étalait sur le tableau de Klee, effaçant les nuances. Le préfet se tenait devant l'une des ouvertures qui surplombaient la cour de la caserne de la Cité. Il pivota en tirant le bas de sa veste et s'approcha d'elle, l'air hautain.

— Alors, madame, vous l'avez arrêté ?

Michèle Fogel fronça les sourcils.

— Non... pas encore...

— Et qu'est-ce que vous attendez pour le faire ? Puis-je savoir ?

Elle eut envie de tourner les talons, de faire claquer la boiserie. Elle ne put s'empêcher de penser que le vieux beau qui lui faisait face sortait d'une nuit tranquille passée dans les luxueux appartements attenants à son bureau tandis qu'elle gardait dans ses muscles les traces d'un repos insuffisant. Elle fit un violent effort sur elle-même pour ne rien laisser paraître de ses sentiments.

— Cela ne tardera plus, je l'espère... Le dispositif « Métropolice » doit entrer en vigueur d'une minute à l'autre. Sans compter l'infrastructure de surface que nous maintenons. Il ne peut plus nous échapper, d'autant que son signalement nous est connu...

Le préfet se décida à s'asseoir. Il lui désigna l'une des tubulures chromées tendues de cuir noir.

— Le dispositif « Métropolice » est parfait, je n'en doute pas. Il recèle pourtant un défaut essentiel.

— Lequel, si je peux me permettre ?

Il sourit. Ses lèvres découvrirent la double rangée impeccablement plantée.

— D'avoir été conçu et mis au point pour faire face à une menace exceptionnelle ! Ce terroriste du métro Châtelet, par exemple... Voilà à quoi répond « Métropolice ». Mais ce système n'est pas de nature à s'opposer aux agissements imprévisibles d'un fou ! Ce que vous mettez en place est totalement inadapté à une règle du jeu qui évolue à chaque seconde. La situation exige qu'on ne se limite pas à ce qui a été pensé hors du contexte présent...

Il se leva, rejeta la tête en arrière, le menton pointé à la manière d'un Duce filiforme.

— J'ai fait ce qui me semblait nécessaire, monsieur le préfet.

— Non, justement... Suivez-moi, madame.

Ils sortirent du bureau. Michèle Fogel se laissa guider à travers de longs couloirs frais jusque dans une salle de réception. On avait disposé des rangées de chaises sur le parquet et des dizaines de jeunes hommes dont le plus âgé n'avait pas trente ans, attendaient là en discutant. Les conversations cessèrent à l'entrée du préfet. Ils se levèrent dans le vacarme des chaises remuées.

Le commissaire remarqua alors, interloquée, qu'ils portaient tous un même pantalon gris et une même veste bleu marine. Bien avant que son regard ne remonte aux visages, elle savait qu'elle y trouverait toute la gamme des moustaches noires et des coiffures brunes...

Le préfet exultait en passant ses mannequins en revue.

— J'ai fait sélectionner dans les commissariats tous les agents de police qui répondaient au signalement des victimes du « pousseur »... Comme nous savons qu'il ne commet ses crimes que dans les stations dont le nom débute par la lettre « C », notre tâche est simplifiée...

Michèle Fogel le fixa, les yeux dilatés.

— Vous voulez dire que...

— Exactement ! Ces hommes se placeront sur les quais des stations suspectes. Ils nous serviront d'appâts, en quelque sorte. Mes services ont fait le compte : il n'y a pas plus de quarante stations sensibles... Plus les stations doubles comme Châtelet ou Champs-Élysées... Nous avons pris soin de multiplier par deux, puisqu'il y a deux quais à chaque fois...

Le commissaire ne l'écoutait plus. Elle remuait la tête de droite à gauche, visiblement effondrée, songeant qu'elle aurait mieux fait de réserver la matinée à ses mômes plutôt qu'à un vieillard sénile.

Le préfet se mit à compter sur ses doigts.

— Vous pouvez vérifier : Convention, Corentin-Celton, Censier-Daubenton, Campo-Formio, Chevaleret... Ils n'ont rien oublié, Croix-de-Chavaux, Charenton...

À l'énoncé de chaque nom, deux, quatre ou six

leurres se détachaient de la troupe suivant que la station possédait ou non de correspondance. Ils venaient se mettre en ordre devant le préfet en claquant des talons.

CHAPITRE XX

D'Alésia, il était monté jusqu'à la Porte de Clignancourt dans une voiture étouffante et brusque. Le hasard des correspondances l'avait ramené aux alentours du 14e arrondissement, vers Montparnasse. Il prit conscience de la multiplication des uniformes à Pasteur alors que les odeurs de pharmacie qui imprégnaient les vêtements d'un groupe d'infirmières de l'hôpital Necker venaient de l'emporter à Rodez.

Il reconnut l'écusson des CRS et comprit aussitôt que leur présence était attachée à la sienne.

Jacques Courtal se tassa sur son siège pour leur échapper. Les blouses blanches le dissimulaient à leurs regards comme elles l'aidaient, là-bas, à vivre...

Les CRS étaient montés dans le compartiment de queue, la synagogue. Il les observa au travers des portes vitrées protégeant des tampons. Dans l'enfilade des couloirs centraux il les vit ouvrir l'une des portes de séparation et passer en première. Ils s'approchaient inéluctablement de lui, dévisageant les passagers.

La rame pénétra dans la station Sèvres-Lecourbe après avoir grimpé la légère pente du viaduc. Les wagons vinrent se placer contre les voitures de la rame qui assurait le parcours inverse. Jacques Courtal s'assura que le quai n'était pas gardé par la police. Il se leva d'un coup et se propulsa dehors juste avant que le métro ne reprenne son élan. Il s'arrêta devant un clochard qui dormait étendu sur le banc.

— Qu'est-ce qu'on peut prendre comme correspondance ici ?

L'homme se redressa, accompagnant son effort de bruits de gorge.

— Correspondance... Quelle correspondance ? Y'en a pas... C'est une station orpheline ici... Tu vas dans un sens et dans l'autre, et c'est barka !

Il se fendit d'un sourire.

— T'aurais pas une petite pièce, pour le dérangement ?

Jacques Courtal secoua la tête et s'éloigna, désemparé. Il avait à peine franchi deux mètres que le clodo se mit à brailler.

— Espèce de radin ! On peut crever la bouche ouverte... Elle est belle, la France ! Crevure...

Il eut toutes les peines du monde à se retenir de courir. Il s'engouffra dans le couloir de sortie, passa la limite de validité des billets et vint se planter devant la carte du réseau. Un groupe de voyageurs arrivait dans le hall. Il profita de leur passage pour escalader le portillon automatique, sous le panneau de la direction « Nation ».

Jacques Courtal se retrouva sur le quai opposé.

À vingt mètres de lui le clochard, calmé, s'était rendormi sous son amas de vêtements usagés. Une rame stationna sur les rails de la direction « Étoile ». Il n'y prêta pas attention, trop occupé à scruter le tunnel pour apercevoir les feux de son métro. Il les distingua, au loin, qui se détachaient de la station dont on devinait les quais. Il tourna de nouveau la tête pour assister au départ de l'autre rame. Ses yeux rencontrèrent le regard étonné d'un flic qui écrasa aussitôt son nez contre la vitre, en une horrible grimace.

Robert Portac se remettait à peine de ses émotions en arrivant à Sèvres-Lecourbe. La jeune femme rangeait son livre et s'était approchée de la porte. Elle s'apprêtait à descendre en observant la tour Montparnasse. Il suivit le déplacement de ses jambes, le creux derrière les genoux, enveloppa les rondeurs de ses hanches d'un regard allumé en respirant profondément. Elle disparut dans le couloir de sortie. Portac essaya de fixer dans sa mémoire la sensation qu'avait provoquée leur contact prolongé. Sans y parvenir. Il pencha la tête de l'autre côté de la station et demeura interdit, l'espace d'une seconde. L'homme dont ils cherchaient la trace depuis la veille se tenait au bord du quai opposé, l'air égaré, inquiet. Portac se leva d'un bond et se précipita sur la porte qui les séparait des rails. Il écrasa son nez contre la vitre. Au comble de l'excitation il n'entendit pas la sonnerie de départ.

— Hervé ! Le voilà... Là, là... Regarde !

Hervé Chalion s'extirpa de son compartiment. Il vint superposer son visage à celui de Robert Portac.

— Viens, grouille... Il faut descendre...

Les portes automatiques claquèrent. Au même instant ils sentirent le déplacement d'air provoqué par l'arrivée de l'autre rame. Portac ne pouvait détacher son regard du pousseur : il le garda en ligne de mire malgré le défilement des voitures, un double mouvement annulé d'abord par le ralentissement d'une rame et la prise de vitesse de l'autre, puis qui allait s'amplifiant jusqu'à ce que la silhouette soit effacée par l'obscurité du tunnel.

— Qu'est-ce qu'on fait ? Je tire l'alarme ?

Portac l'en dissuada.

— Ça ne servirait à rien. Le temps de couper le courant pour descendre sur la voie, il sera déjà arrivé à Pasteur. Si ce n'est pas à Montparnasse... À mon avis, le mieux à faire c'est de rouler jusqu'à la prochaine... (il regarda le plan de ligne, au-dessus des portes)... à Cambronne. En nous dépêchant on doit pouvoir choper le métro suivant : la nôtre arrive en station une trentaine de secondes avant celle d'en face... Si on ajoute le temps de stationnement pour la montée et la descente, on dispose d'une petite minute...

— Je ne sais pas si je pourrais tenir la distance ! Les escaliers, les portillons... D'abord à quoi ça va nous servir de le pister avec un métro de retard ? On aura du mal à le coincer : les rames, ça ne se double pas !

— Tu as une meilleure idée ? Ou il pousse jus-qu'au terminus et on lui met la main dessus là-bas, ou il descend entre-temps et on a de grandes chances de repérer sa trace en interrogeant les usagers...

La minute et demie de voyage leur parut une éternité. Robert Portac sauta sur le quai avant l'arrêt complet du train. Hervé Chalion se montra plus circonspect. Portac s'élança vers le panneau lumineux de sortie.

— Vite, il faut prendre la correspondance...

— Non, il n'y en a pas... C'est une station à ligne unique... Il faut sortir et reprendre dans l'autre sens au portillon.

Ils se mirent à courir, slalomant entre les retar-dataires qui tentaient de grimper dans la rame après la sonnerie. Portac escalada l'escalier en tête. Il conserva une bonne longueur d'avance sur son collègue et déboucha sur le quai au mo-ment où le métro fermait ses portes. Il n'eut que le temps de poser son pied sur le plancher du wagon. Les deux battants butèrent sur l'obstacle, reportant le départ. Le conducteur passa la tête par sa portière. Il aperçut, à vingt mètres, l'uni-forme d'Hervé Chalion.

— Il y a un problème ?

— Non, vous pouvez y aller...

Il les laissa grimper et mit le train en marche, manuellement. Les deux policiers reprirent leur souffle sans prêter attention aux interrogations que leur arrivée suscitait. Hervé Chalion ôta son képi pour remettre ses quelques cheveux en or-

202

dre. Il s'épongea le visage avec le revers de sa manche.

— Tu ne crois pas qu'on ferait mieux de prévenir le PC de la Bastille ? En déclenchant l'alerte ils peuvent bloquer toutes les issues d'ici au terminus...

— Pour qu'ils nous piquent le résultat de notre boulot ? Pas question ! On va leur montrer ce qu'on vaut à tous ces bureaucrates... Au fait..

— Tu penses à quoi ?

Robert Portac posa une main sur l'épaule de son coéquipier.

— Quand on l'a repéré, il venait bien de Cambronne ?

— Oui, pourquoi ?

— Pourquoi ! C'est évident... Ça commence par quoi, Cambronne ?

Les yeux d'Hervé Chalion s'illuminèrent.

— Un « C »... Tu veux dire que, peut-être...

— Il n'y a pas de peut-être ! Il cherche à s'en faire un autre sur cette ligne... Regarde le plan : il peut encore tenter son coup à « Corvisart » ou « Chevaleret »...

Robert Portac respira lentement.

— On peut dire qu'on a une sacrée chance...

Jacques Courtal ne s'était toujours pas débarrassé, deux stations plus tard, de l'image de ce visage congestionné plaqué contre la vitre. Il se sentait pourtant en sécurité dans cette voiture où l'attention des voyageurs était accaparée par un couple de musiciens, un vieil homme aux cheveux blancs, une guitare en bandoulière et un autre, plus jeune, le teint mat des gitans. Il y avait là une majorité d'employés de bureau, des hommes et des femmes de tous âges, habillés proprement de vêtements passe-murailles, aussi tristes qu'un catalogue de vente par correspondance.

La lumière crue des rampes, les reflets froids du métal annulaient l'été du dehors, malgré l'imprimé des tissus.

> « Au rendez-vous des bons copains
> Y'avait pas souvent de lapins...
> Qu'on se le dise au fond des ports
> Dise au fond des ports... »

Le guitariste venait de se planter dans les couplets, pour la seconde fois en moins d'une minute, sans que cela provoque la moindre réaction. Il plaqua un dernier accord tandis que le gitan faisait le tour de leur public d'occasion. Deux ou trois personnes, par goût ou par timidité, y allèrent de leur obole. Le collecteur se planta devant Jacques Courtal mais, après un rapide coup d'œil à ses vêtements, il ne se donna pas la peine de tendre la casquette. Le musicien ramassa son salaire et l'enfourna dans une poche. Le métro arrivait à Montparnasse-Bienvenüe. Il se remit en piste pour un adieu parlé, façon « rap ».

> « Allez salut, faut vous grouiller,
> Ou bien on va vous engueuler !

Pour moi, aujourd'hui le boulot,
Je n'crois pas qu'y se mette au beau... »

Il attendit que le train soit immobile pour le quitter. Le gitan sauta à terre, de côté, et salua la masse compacte qui se hâtait vers les correspondances.

— Salut les usagers !

Jacques Courtal se retrouva pratiquement seul, en bout de wagon, face à trois hommes montés à Montparnasse.

Il baissa la tête en écoutant distraitement leurs conversations peuplées de noms de vins, de vignobles, de marques... Préfontaines, Rocher, Damoy, Postillon... Que des quatre étoiles ! Les voix se turent soudain. Jacques Courtal se redressa, les sens en alerte. L'un des hommes venait d'ouvrir son attaché-case pour montrer un échantillon d'étiquettes de bouteilles à ses compagnons. Il jeta un coup d'œil au « pousseur », s'attardant sur les traits du visage, les sourcils froncés. Courtal fit de même. Il détailla tout d'abord la mallette posée sur le pantalon gris, la veste bleu nuit, la moustache noire barrant le visage... Il termina son examen sur le crâne lisse du représentant en étiquettes...

Il se leva, poursuivi par les regards qui l'excluaient.

« Raspail ».

La plaque bleue aux lettres blanches se stabilisa devant lui, entre deux affiches pour l'Ambre Solaire.

205

Il s'apprêtait à descendre mais la tache sombre des uniformes de flics, près de la motrice, stoppa son élan. Il attendit qu'ils se dirigent vers les couloirs pour sauter du wagon. Perdu dans son angoisse, il ne vit pas la vieille femme qui franchissait péniblement la minuscule différence de niveau séparant le quai de la rame. Il la bouscula si violemment que la vieille partit en arrière et s'affala dans les bras d'un Africain en criant.

L'incident polarisa sur lui l'attention d'une dizaine de personnes. Un gros homme en chemise, la veste passée sur le bras, s'approcha tandis que le métro s'ébranlait.

— Que se passe-t-il ? Elle a eu un malaise ?

L'Africain désigna Jacques Courtal d'un geste du menton.

— Non, c'est lui qui l'a bousculée... Heureusement que j'étais là !

Le gros homme observa longuement Courtal, de la tête aux pieds, puis il se retourna à la recherche des uniformes.

Jacques profita de ces quelques instants d'hésitation pour s'élancer vers le couloir. La peur d'être pris avant d'avoir accompli sa tâche lui fit oublier son infirmité. Seul le Noir se décida à le poursuivre, sans grande conviction. Il abandonna après une quinzaine de mètres et revint sur le quai.

Courtal se retourna... On ne le suivait pas. Il ralentit sa course afin de ne pas rattraper les flics qui remontaient le couloir, plus avant.

Sa chance prit la forme d'un colleur d'affiches.

Le gars nettoyait son matériel dans le renfoncement d'un local technique semblable à ceux dont Monsieur Victor possédait les clefs. Il lui tournait le dos, les bras plongés dans un bac d'où dépassaient des manches de pinceaux. Une autre pièce s'ouvrait sur la gauche, encombrée de vestiaires métalliques. Jacques Courtal s'y engouffra.

L'afficheur se mit à chantonner *Singing in the rain*, tout en dégluant les poils de ses brosses. Ses pieds entrèrent dans la danse et il accompagna son chant approximatif du clapotis de ses semelles dans les éclaboussures.

Des lycéens l'applaudirent en passant à sa hauteur.

— Super ! On dirait l'original... Même la flotte en fond sonore !

Le colleur les toisa, l'air mauvais. Il fit claquer la porte, d'un coup de pied.

Dans l'obscurité, Jacques Courtal soupira de soulagement.

CHAPITRE XXI

Hervé Chalion se pencha vers Robert Portac.

— Tu ne crois pas qu'on va avoir des ennuis s'ils s'aperçoivent qu'on n'est pas en poste pour le déclenchement de « Métropolice » ? On arrive bientôt à Denfert-Rochereau... On ferait mieux de se tenir peinards...

Robert Portac était debout contre la porte du wagon, les mains sur le loquet, prêt à le tirer au plus tôt pour scruter les quais et les têtes de ceux qui attendaient dans chaque station. Il toisa son collègue d'un air méprisant comme s'il l'apercevait pour la première fois.

— Fais ce que tu veux, à la fin ! On l'a débusqué, c'est bien la preuve que ma méthode est payante... Mais si tu as le trac de la bonne femme de la Bastille, il vaut mieux que tu restes à quai...

— C'est pas la question... Tu as confiance dans l'autre ?

— Quel autre ?

— Le mec qu'ils nous ont adjoint, Yves Ber-

208

tin... Je suis sûr qu'il fera tout pour nous mettre dedans.

Robert Portac allongea la main, la paume vers le ciel, et souleva son majeur à la verticale.

— Et moi, ce que je vais lui mettre, c'est ça ! Bien profond...

Ils ne décelèrent aucune agitation particulière à Montparnasse-Bienvenüe ni à Edgar-Quinet.

Hervé Chalion leva les yeux vers les affichettes publicitaires dont la RATP parsemait les voitures, en remplacement des porte-bagages qui équipaient les anciens modèles. Une bleue à droite, une blanche à gauche.

« Du 15 au 30 juin 1983. SEMAINE DE BONTÉ. Envoyez vos dons au CCP 1532. La Source. SOYEZ GÉNÉREUX. »

Son pendant délivrait un message différent.

« Les spectacles et les quêtes sont INTERDITS dans les voitures. Pour préserver votre tranquillité, NE LES ENCOURAGEZ PAS ! La RATP. »

— Ils ne savent pas ce qu'ils veulent !

Robert Portac fronça les sourcils.

— Quoi ?

Le petit flic blond n'eut pas le loisir de s'expliquer : ils arrivaient à Raspail. Portac ouvrit les portes dès que le système pneumatique le permit. Il repéra immédiatement le groupe animé, en bout de station. Il bondit sur le quai. L'Africain vint à sa rencontre en faisant de grands signes.

— Venez vite, venez vite...

— Qu'est-ce qui se passe ?

Le gars montra le couloir de sortie.

— Vite, il est parti par là... Il y a deux minutes... Il était dans l'autre rame, celle d'avant...

— Vous êtes sûr que c'était le pousseur ?

Des voyageurs s'étaient approchés. Une femme sortit du rang.

— Oui, c'était bien lui... D'ailleurs il a failli tuer cette pauvre vieille ! Dépêchez-vous de le rattraper si vous ne voulez pas qu'il nous extermine tous !

Robert Portac s'élança dans le couloir suivi d'Hervé Chalion. Ils passèrent sans ralentir à hauteur du local technique, quelques secondes avant que l'afficheur n'en sorte, son travail terminé.

Jacques Courtal quitta sa cachette et vint se rafraîchir au lavabo. Il écouta la cavalcade décroître puis il s'approcha de la porte. Il posa la main sur la poignée intérieure. Chalion et Portac venaient de faire leur jonction, dans le hall, avec les policiers affectés à la station qui passaient le temps à discuter avec l'employée chargée de la distribution des billets.

Portac se mit à gueuler.

— Vous l'avez vu ?

L'un des flics lui fit face en se composant la tête d'un môme pris en faute.

— Qui ça ? (Il se reprit.) Vous venez d'où, d'abord ?

Portac parvint à sa hauteur, le visage rouge, soufflant comme un bœuf. Il le prit par le revers de sa veste.

— Espèce de con ! On course le pousseur pendant que tu dragues... Vous l'avez vu oui ou merde ?

Le flic lui fit lâcher prise. Il défripa son uniforme.

— Vous êtes certain que c'était lui ?

— En tout cas, c'était pas le pape ! Il a essayé de liquider une vieille, sur le quai, pendant que vous roucouliez...

— Je suis sûr qu'il ne s'est pas pointé ici, on l'aurait vu... Il s'est peut-être arrêté dans le couloir...

Hervé Chalion agita la tête pour marquer son irritation.

— Si on l'a paumé à cause de vous, ça ira mal ! Il n'a pas pu se planquer dans le couloir, on en vient... Il n'y a pas le moindre renfoncement !

L'employée de la RATP qui suivait l'échange depuis le début intervint.

— À moins qu'il n'ait réussi à se procurer un carré pour ouvrir les portes de service... Ce ne serait pas le premier !

Robert Portac prit la direction des opérations.

— Vous deux, bloquez cette issue. Pendant ce temps je vais ratisser le couloir avec Hervé.

Il toisa la guichetière.

211

— Passez-nous une clef, qu'on jette un œil dans les coulisses.

Jacques Courtal manœuvra la serrure, lentement, ouvrit la porte et passa sa tête au-dehors. Les policiers occupaient le hall, près de la sortie, interdisant tout espoir de fuite de ce côté. Il ne lui restait que les quais, à droite. Il gonfla ses poumons, compta jusqu'à trois et se propulsa vers l'attroupement d'usagers. Robert Portac le découvrit à cet instant précis. Il exulta.

— Le voilà ! On le tient... Il n'y a pas d'autre issue, il est foutu !

Les voyageurs s'écartèrent au passage du pousseur, effrayés. Jacques Courtal, haletant, stoppa au ras de la fosse, sous la caméra de contrôle vidéo. Il discerna la rumeur lointaine d'un métro. Les flics seraient là bien avant la rame... Il se décida d'un coup et se précipita vers l'escalier étroit protégé d'une pancarte jaune, qui menait à l'obscurité du tunnel. Il se mit à courir les jambes écartées, un pied sur les traverses, l'autre sur les cailloux du ballast, frôlant le rail d'alimentation électrique à chaque pas.

Robert Portac et Hervé Chalion déboulèrent à leur tour au milieu des curieux. Les doigts pointèrent, unanimes.

— Il est descendu par là...

Les deux policiers se regardèrent en hésitant. Hervé Chalion se dévoua.

— C'est dangereux, ils font passer du 1 500 volts là-dedans... Un faux pas et tu grilles...

— Pourtant, il va bien falloir le suivre ! D'une manière ou d'une autre...

Robert Portac avisa la borne d'alarme sous un plan du réseau. Il brisa la glace de sécurité d'un coup de talon, puis il tira la poignée chromée, interrompant l'alimentation en électricité motrice de la station.

La rame qui s'apprêtait à entrer en gare, sur le quai opposé, s'immobilisa aussitôt, deux voitures dans le tunnel.

— Allez, on y va. Il ne peut plus nous échapper avec sa patte folle !

Depuis deux heures qu'il fixait ses écrans, le contrôleur du central RATP commençait à sentir des picotements dans les yeux. Les télés ne cessaient de lui renvoyer les mêmes images scintillantes de quais bleus et de spectres aux visages fermés. Il envoya la ligne numéro 6, « Étoile-Nation ». Le listing était souligné en trois endroits : « Chevaleret », « Corvisart », et « Cambronne ». Il sélectionna les trois stations sensibles en priorité, sans rien remarquer d'insolite sur le moniteur. Puis il vérifia la série, méthodiquement, du départ au terminus... « Trocadéro », « Passy » et ses immeubles aux façades arrondies qui défendaient la Seine... La qualité de l'image était de meilleure qualité pour les prises en surface, sauf quand le soleil irisait l'objectif. « La Motte-Picquet », « Montparnasse-Bienvenüe »...

L'attroupement nerveux de la tête de quai, à Raspail, attira son attention dès qu'il connecta le circuit de la station. Une dizaine de personnes entouraient une vieille femme qui semblait prise de malaise. Le groupe se déplaça vers les bancs à part un homme, un Noir, qui se mit à agiter les bras vers le couloir.

À ce moment le pousseur le dépassa et occupa la presque totalité du champ, très près de la caméra. Le contrôleur capta son air traqué, ses hésitations, avant qu'il ne contourne le dispositif de prise de vues pour, probablement, s'engager sur la voie. Le surveillant se tourna légèrement sur le côté, un œil toujours braqué sur son écran.

— Inspecteur ! Inspecteur ! Je l'ai, venez vite...

Alain Deligny se précipita vers les téléviseurs.

— Où est-il ?

— Dans le tunnel, à tous les coups... Tenez, voilà les flics ! Ils sont à ses trousses...

Robert Portac et Hervé Chalion venaient d'apparaître à leur tour. L'inspecteur devint fébrile.

— C'est quelle station ? Vous le savez...

— Heureusement ! Raspail, sur la 6... Il remonte le tunnel à pied, en direction de « Denfert-Rochereau »...

— Quelle distance entre les deux stations ?

— Pas loin d'un kilomètre... Regardez, un des policiers vient de couper le courant. Ils vont descendre eux aussi... Qu'est-ce que je fais, inspecteur ?

— Vous continuez à surveiller « Raspail » et « Denfert », en alternance.

Alain Deligny fit appeler « Denfert-Rochereau » par le chef de régulation et se mit en contact avec la brigade d'intervention de la ligne 6, direction Nation.

— Poste de Denfert ? Ici l'inspecteur Deligny. Le pousseur est repéré. Il vient vers vous... À pied... Je sais, on a coupé le jus... Oui, par le tunnel, depuis la station Raspail. Deux gars de chez nous le suivent de près. Ça pourra aller ?

Yves Bertin se décida à casser le morceau.

— Pas tellement, inspecteur. Je ne peux pas bouger d'ici...

— Comment ça vous ne pouvez pas bouger ! Ce serait pourtant le moment... Prévenez vos collègues, qu'ils se postent à la sortie du tunnel pour le cueillir. Vous avez compris ?

— Oui, inspecteur, mais ce que je veux dire, c'est que je suis seul... Je vais y aller quand même...

Alain Deligny eut besoin de quelques secondes pour intégrer l'énormité de ce qu'il entendait.

— Vous êtes seul ! Et où sont passés les autres membres de votre groupe ?

— Je ne sais pas... Ils recherchent le pousseur depuis hier...

— Bande de cons ! On vous le livre, justement, sur un plateau ! Sans personne pour le réceptionner... Grouillez-vous de vous mettre en piste, seul. On réglera ça plus tard...

L'inspecteur raccrocha d'un coup sec puis il se décida à prévenir Michèle Fogel. Il la trouva au bureau de la Bastille alors qu'elle revenait de la préfecture.

— Il est localisé, entre Raspail et Denfert, sur

215

la ligne 6... On se donne rendez-vous là-bas, à Denfert ?

— Autant y aller ensemble. Je vous prends au passage avec la voiture. Attendez-moi sur le trottoir. Je m'occupe des talkies.

La nouvelle lui fit oublier son entrevue avec le préfet. Elle longea la passerelle sans même jeter un regard aux bateaux et s'engouffra dans la R 12.

CHAPITRE XXII

Jacques Courtal dépassa la rame immobilisée sur les rails avec son chargement de voyageurs. Tous le regardèrent dans la terne lueur des lumières de sécurité, les traits collés aux vitres. Il comprit qu'on venait de couper le courant et il se risqua à marcher sur les traverses, à frôler la barre surélevée. Les néons de Denfert se reflétaient sur les longs fils d'acier qui guidaient sa fuite.

Il s'arrêta, hors d'haleine, se courba en deux la tête vers le ballast. Sa respiration se répercutait sur les parois du tunnel. Il distingua, derrière, les bruits de gravier remué. Le faisceau d'une torche accrocha un signal de block, à une dizaine de mètres. Il reprit sa course, le souffle court, alors qu'une évidence s'imposait à son esprit : d'autres flics l'attendaient, droit devant, lui interdisant tout espoir d'évasion.

Le sifflement étouffé d'accélération d'une motrice le stoppa net. Une autre ligne que la 6 fonctionnait en parallèle entre Raspail et Denfert... Les plans du réseau qu'il étudiait des jours entiers à Rodez, avec Soumel, défilèrent dans sa tête. La 4 ! C'était bien ça... La 4... Clignancourt-Orléans... Les deux lignes se doublaient sur ce tronçon !

Jacques Courtal abandonna les rails et vint se coller contre le mur, du côté de la rumeur du trafic. Ses joues, ses mains se cognaient aux fils électriques, aux plaques de fer numérotées qui ponctuaient son trajet.

L'éclair lointain d'un passage de rame lui donna raison : un mince boyau de liaison d'un mètre cinquante de haut s'ouvrait dans la voûte, à sa gauche. Il s'y jeta en s'éraflant le front et, malgré la douleur qui envahissait son crâne, il se remit à courir, la tête rentrée dans les épaules, les bras heurtant le ciment rugueux à chaque enjambée.

Un tunnel semblable à celui qu'il venait de quitter interrompait le passage étroit : la ligne 4 ! Il prit à droite, vers Denfert, persuadé qu'on ne s'attendait pas à le voir surgir dans une station de la ligne Clignancourt-Orléans. Il dut à nouveau progresser en marchant à cheval sur les traverses et le ballast, se plaquant au mur au passage des métros.

Robert Portac et Hervé Chalion remontèrent le tronçon d'Étoile-Nation et débouchèrent ensemble dans la station Denfert-Rochereau dont les quais étaient masqués par deux rames vides. Yves Bertin, le troisième policier de l'équipe, montait la garde en compagnie des deux conducteurs désœuvrés. Les bruits de pas l'alertèrent. Il dégaina son Manurhin et descendit sur la voie, avançant avec précaution.

— Fais pas le con, c'est nous !

Il reconnut la voix de Portac.

— Vous pourriez vous annoncer ! Où il est ? Vous venez de Raspail ?

— Tu ne l'as pas vu passer ?

Hervé Chalion apparut à son tour.

— C'est pas possible, on l'entendait juste devant nous... Je parie que ce connard l'a laissé filer !

— Je n'ai pas bougé d'ici : j'étais avec les gars de la RATP. S'il était passé, on l'aurait vu ! À mon avis, il est planqué dans le tunnel... Vous l'avez loupé...

L'un des conducteurs s'interposa.

— À moins qu'il vous ait faussé compagnie pour rejoindre la ligne 4...

Les trois flics le fixèrent d'un même mouvement.

— Comment ça ? On est bien sur la 6, pourtant ! Je n'ai pas vu d'embranchement...

— Non, c'est sûr, il n'y en a pas pour les métros, mais s'il connaît bien le tube, les tunnels sont farcis de passages entre les lignes, pour les équipes d'entretien et de sécurité... En cas de pépin, les gars n'ont pas besoin de faire le tour de Paname pour visiter deux stations proches situées sur deux lignes différentes...

Portac et Chalion se précipitèrent de nouveau dans le labyrinthe tandis qu'Yves Bertin se mettait en contact téléphonique avec le centre de regroupement.

— Passez-moi l'inspecteur Deligny, en urgence...

Son correspondant balança l'appel sur le récepteur de voiture. Michèle Fogel contournait la place d'Italie pour s'engager dans le boulevard Blanqui et elle avait besoin de ses deux mains sur le volant afin d'éviter les tonnes d'indécis qu'elle rencontrait sur sa trajectoire dès qu'elle était pressée.

— Qu'est-ce que vous attendez, inspecteur ? Décrochez !

Alain Deligny saisit le combiné d'un geste vif, puis le reposa lentement après avoir écouté Yves Bertin.

Michèle Fogel le regarda en coin.

— Alors ? Ils ne l'ont toujours pas...

— Non, au contraire. Ils viennent de le perdre...

Le commissaire freina et rangea la R 12 en double file à hauteur de l'école Estienne. Des conducteurs surpris par la brusque manœuvre klaxonnèrent.

— Ils l'ont perdu ! Ce n'est pas possible, toutes les issues sont gardées... Ils se débrouillent comme des manches !

— Il est passé sur la ligne 4, par un petit tunnel de liaison...

Elle déboîta aussi nerveusement qu'elle s'était rangée et reprit sa route.

— Dépêchez-vous de les mettre en alerte, ceux de la 4, sinon il va leur refaire le même coup...

Deligny désigna le téléphone.

— C'est fait, il s'en est chargé... Mais je pense à une chose, commissaire...

— Oui, laquelle ?

— Je crois qu'on ne devrait pas s'enfoncer trop profond avec les talkies, on risque d'avoir pas mal de brouillage...

— Qu'est-ce que vous proposez, comme solution ?

Alain Deligny tendit la main vers les piliers du métro aérien qui occupaient le terre-plein central du boulevard Blanqui.

— On pourrait s'arrêter à Saint-Jacques : c'est la dernière station de surface et on a la gueule du souterrain juste devant nous ! Ça devrait marcher à merveille...

Le commissaire approuva la proposition. Deux minutes plus tard elle stoppait devant le petit pavillon d'entrée de la station Saint-Jacques. Ils poussèrent la porte grise sous la longue pancarte qui annonçait en lettres nouilles vert délavé sur fond jaune pisseux : « Métropolitain ».

Les voies se trouvaient en contrebas, une tranchée ouverte au milieu du boulevard. Une rame vide était arrêtée un peu plus haut, sur la rampe douce du circuit aérien.

Michèle Fogel remarqua les murs de pierre, une sorte de meulière, qui flanquaient la station, les quais abrités par des auvents aux armatures métalliques et, à leur gauche, la bouche béante et noire du tunnel...

Les policiers affectés à la halte vinrent à leur rencontre. Tandis que Deligny leur donnait des instructions, le commissaire se plaça à l'entrée du souterrain et lança ses premiers appels. Elle se mit en contact avec la préfecture pour annoncer l'imminence de la capture.

Le trafic avait été interrompu, à son tour, sur la ligne 4. Portac et Chalion avaient fini par dénicher le tunnel de liaison et ils venaient d'arriver à la jonction avec la ligne Clignancourt-Orléans.

— À ton avis, il a pris à droite ou à gauche ?

— Comment veux-tu que je le sache ? Remonte sur Denfert, moi je prends par là, vers Raspail... Si je le loge, je te siffle. Toi pareil. D'accord, Hervé ?

Jacques Courtal les vit se séparer. Il était monté jusqu'aux abords de la station mais s'était vite replié dans l'obscurité en découvrant le spectacle d'une dizaine de flics et de CRS scrutant les ténèbres.

Il ramassa un court morceau de planche, un éclat effilé d'une vingtaine de centimètres, vestige d'un chantier.

Le policier se rapprochait. Courtal se blottit dans une niche et attendit qu'il parvienne à sa hauteur. Dès que le képi dépassa l'arête de béton, il s'éjecta de son réduit, le triangle de bois en avant, et bouscula Hervé Chalion qui s'écroula lourdement sur le ballast.

Jacques profita de son avantage pour retrouver le tunnel secondaire et s'y engagea.

Hervé Chalion s'était redressé. Le bois s'était fiché dans un repli de la veste et avait glissé sur l'épaule, labourant les chairs. La douleur lui engourdissait le bras. Il se mit à siffler du plus fort qu'il pouvait pour avertir son collègue. Robert Portac fut très vite près de lui.

— Tu es blessé ?

— Oh, c'est pas grand-chose, il m'a esquinté l'épaule... Il a repris le tunnel, vers la 6... Vas-y vite, il est à ta portée...

— OK, mais tu ne vas pas rester là, viens !

Chalion se remit debout en gémissant.

— File, je te dis ! Je te suis à distance !

— J'y vais... À tout à l'heure, vieux frère !

Jacques Courtal avait mis ces quelques minutes à profit pour récupérer la ligne 6 et, sans hésiter, il s'élança en direction de la station Denfert-Rochereau. Il couvrit les deux cents mètres qui l'en séparaient sans s'arrêter pour reprendre son souffle. Les deux rames occupaient toujours les voies. Un calme absolu régnait sur les quais. Il s'approcha sans bruit et ne remarqua pas de présence policière. Il songea qu'ils devaient tous l'attendre sur les quais des correspondances.

Il sourit pour la première fois depuis très longtemps.

Jacques Courtal se plia en deux, la tête sous la limite inférieure des fenêtres de wagons. Il traversa la station, dissimulé par les rames. Il était pratiquement parvenu à l'autre extrémité de la station quand un cri retentit, répercuté par les surfaces de céramique.

— Il est là... À l'aide ! Je l'ai vu...

Jacques Courtal se releva pour apercevoir un conducteur vêtu de son bleu qui sortait de sa cabine en gueulant.

D'un bond il se précipita vers le tunnel qui menait à Saint-Jacques. Les cris s'atténuèrent, remplacés par le bourdonnement de son sang contre ses tympans. La voie, en légère pente, le força à ralentir son rythme.

Robert Portac pénétra à son tour dans la station Denfert-Rochereau. Le conducteur, rejoint par Yves Bertin, lui indiqua la direction prise par le pousseur. Portac disparut tandis que Bertin se mettait en rapport avec Michèle Fogel.

— Commissaire... Il vient vers vous, par le tunnel. Il n'a plus aucune chance de nous échapper : la ligne est toute droite et elle monte en surface jusqu'à vous... Très bien, je reste en communication jusqu'à la fin des opérations...

Il passa la lanière de cuir du talkie-walkie autour de son cou et descendit sur la voie. Tout au fond du tunnel il distingua la lumière du dehors. Saint-Jacques...

Il crut apercevoir une silhouette noire, fine, mangée par la luminosité mais ne put reconnaître si elle appartenait à Courtal ou Portac.

CHAPITRE XXIII

Michèle Fogel sauta sur la voie, imitée par l'inspecteur. Les policiers les suivirent à distance. L'un d'eux dégaina son arme et maintint le canon vers le sol tout en marchant. Le commissaire remarqua le pistolet alors qu'elle jetait un coup d'œil sur la disposition des lieux.

— Rangez ça immédiatement. La chasse n'est pas ouverte...

— Mais, commissaire...

— Il n'y a pas de mais... C'est un malade, un pauvre type désarmé. Il n'aurait jamais dû sortir de son trou...

Elle finissait à peine sa phrase que Jacques Courtal émergea du tunnel. Il tituba puis s'immobilisa, aveuglé par la trop grande clarté. Ils pouvaient voir sa poitrine se soulever et s'abaisser à un rythme accéléré.

Il se remit à avancer, les jambes écartées, son pied malade raclant le sol. Il releva la tête, se protégea les yeux de sa main en visière et les aperçut. Son premier réflexe fut de retourner à l'abri du souterrain mais Robert Portac surgit à son tour, lui interdisant toute retraite.

Cinq d'un côté, un seul de l'autre... Il n'hésita pas et se rua sur le flic de Denfert en gueulant. Portac anticipa l'attaque. Il posa sa main sur la crosse du Manurhin.

Son tir de baptême sur cible vivante !

Le revolver se débarrassa de cinq balles, coup sur coup, comme à l'exercice.

Jacques Courtal interrompit son cri en touchant le sol. Ses doigts se crispèrent sur le gravier du ballast tandis que son sang inondait la veste, dans le dos.

Michèle Fogel et l'inspecteur s'étaient figés sur place. Ils observèrent Robert Portac qui rangeait son arme, bientôt rejoint par son équipier, Hervé Chalion.

— C'est toi qui l'as eu ?

— Ouais, je ne l'ai pas loupé ! Cinq coups au but...

Le préfet fut le premier informé de la mort du pousseur. Il se rendit à Saint-Jacques moins d'un quart d'heure après la fusillade accompagné d'une équipe de télévision et d'une dizaine de collaborateurs.

Les nouveaux arrivants descendirent sur les quais. Le préfet se dirigea d'emblée vers Michèle Fogel et Alain Deligny, près du corps de Jacques Courtal.

— Félicitations, madame, vous avez enfin mis un terme à cette lamentable affaire...

Le commissaire le toisa, incrédule.

— ... Je reconnais vous avoir sous-estimée. Je tiens à faire amende honorable. Il y a là une équipe de télévision, vous devriez leur dire quelques mots pour rassurer les Parisiens. Le mérite vous en revient...

Elle le fixa, l'air absent, puis porta son regard sur l'inspecteur qui étendait un vêtement sur le cadavre avant de faire face, de nouveau, au préfet.

— Allez vous faire foutre !

Sa voix s'était davantage chargée d'amertume que de colère. Elle se retourna d'un mouvement nerveux, grimpa les marches d'accès au quai et se dirigea vers la sortie.

Le préfet haussa les épaules. Il interpella Deligny.

— Inspecteur...

— Oui, monsieur le préfet.

— C'est elle qui l'a abattu ?

Deligny désigna Robert Portac.

— Non, c'est cet agent. Un des hommes de la Brigade du métro, Robert Portac...

Alain Deligny fit signe à Portac de s'avancer.

— Venez, Portac...

Il se pencha vers le préfet.

— ...C'est un de nos très bons éléments, j'avais déjà eu l'occasion de le remarquer...

Le préfet tendit la main au policier, un geste dont il n'était pas coutumier.

— Je crois qu'avec des hommes de votre trem-

227

pe, la Brigade du métro saura fortifier son autorité et renforcer la sécurité publique...

Puis tous trois se dirigèrent d'un même pas vers l'équipe de télévision alors que, plus loin, on emportait le corps de Jacques Courtal sur une civière.

Michèle Fogel venait de contourner la station. Elle longeait la ligne par le boulevard Saint-Jacques. Elle s'engagea sur la passerelle qui dominait les voies pour contempler une dernière fois les traces de ce pour quoi elle vivait depuis plus de dix années.

En contrebas, les lèvres s'agitaient sans que les paroles lui parviennent mais le sens même de ce qui se disait lui était soudain devenu étranger. Définitivement.

ÉPILOGUE

La grande peur du pousseur reflua après la mort de Jacques Courtal. En moins d'une semaine la RATP avait retrouvé l'essentiel de sa fidèle clientèle. Les températures demeuraient stationnaires malgré une lente évolution orageuse.

La France se préparait doucement aux vacances.

Le soir du 21 juin, Robert Portac et Hervé Chalion traversèrent une ville loufoque : pas un carrefour qui ne soit envahi par des orchestres, des accordéonistes, des joueurs d'harmonica ou de tam-tam.

Ils mirent une heure à passer du Sentier au quartier Latin. Chalion ne cessait d'invectiver les musiciens, calé dans son fauteuil, les vitres baissées.

— Regarde-moi ces pauvres types ! Il suffit qu'on leur dise : « Fête de la Musique », et ils sortent faire du boucan... Si demain le premier con venu lance l'idée d'une « fête des Culs », je

229

suis sûr qu'ils seront encore plus nombreux à prouver qu'ils en ont un plus beau que le voisin...

Ils arrivèrent à la Mutualité avec une heure de retard. La salle était comble et les banderoles du syndicat tapissaient la rambarde du balcon et le fond de scène.

Il faisait une chaleur étouffante. Robert Portac tomba la veste. Un projecteur fit briller l'insigne qu'il avait épinglé à sa chemise.

La salle interrompait l'orateur à chaque fin de phrase. Ils reconnurent Emmanuel Mangin, l'un des principaux dirigeants de la Fédération Policière Indépendante. Ils se calèrent dans un coin, près des portes à battants pour écouter le discours.

— Oui, il faut en être convaincu, notre société est en passe d'être déstabilisée... L'habitat, par exemple : lorsqu'ils ne squattérisent pas nos immeubles, ils les détériorent à long terme ! À charge pour l'État de réparer et au contribuable de subvenir ! De plus, on assiste à une régression de la qualité de la vie dans les quartiers qu'ils occupent. Chacun peut le constater, cela se traduit de mille manières : odeurs, musique, mœurs, hygiène, religion, horaire, refus de s'intégrer, pratique tribale...

Les applaudissements crépitaient, ponctuant l'énumération.

— Que les pouvoirs publics prennent garde ! Il est dans notre hymne national un cri qui possède le redoutable pouvoir de mobiliser l'action de tout un peuple. Et le jour où celui-ci le clamera, nous nous verrons aux prises avec une situation impossible à maîtriser...

Portac sentit les larmes lui monter aux yeux. Il leva le bras, droit devant lui, la main tendue et mêla sa voix grave à celles des milliers de policiers qui peuplaient la salle survoltée :

« *Aux armes, citoyens*
Formez vos bataillons
Marchons, marchons
Qu'un sang impur
Abreuve nos sillons. »

Aubervilliers
oct.-déc. 84.

DU MÊME AUTEUR

Aux Éditions Gallimard

Dans la collection Série Noire

MEURTRES POUR MÉMOIRE, *n° 1945* (« Folio policier », *n° 15*). Grand prix de la Littérature Policière 1984 — Prix Paul Vaillant-Couturier 1984.

LE GÉANT INACHEVÉ, *n° 1956* (« Folio policier », *n° 71*). Prix 813 du Roman Noir 1983.

LE DER DES DERS, *n° 1986* (« Folio policier », *n° 59*).

MÉTROPOLICE, *n° 2009* (« Folio », *n° 2971* et « Folio policier », *n° 86*).

LE BOURREAU ET SON DOUBLE, *n° 2061* (« Folio policier », *n° 42*).

LUMIÈRE NOIRE, *n° 2109,* (« Folio policier », *n° 65*).

Dans « Page Blanche » et « Frontières »

À LOUER SANS COMMISSION

Dans « La Bibliothèque Gallimard »

MEURTRES POUR MÉMOIRE. Dossier pédagogique par Marianne Genzling, *n° 35*.

Aux Éditions Denoël

LA MORT N'OUBLIE PERSONNE (repris en « Folio policier », *n° 60*).

LE FACTEUR FATAL (repris en « Folio policier », *n° 85*). Prix Populiste 1992.

ZAPPING (repris en « Folio », *n° 2558*). Prix Louis-Guilloux 1993.

EN MARGE (repris en « Folio », *n° 2765*).

UN CHÂTEAU EN BOHÊME (repris en « Folio policier » *n° 84*).

MORT AU PREMIER TOUR (repris en « Folio policier », n° 34).
PASSAGES D'ENFER (repris en « Folio », n° 3350).

Aux Éditions Manya

PLAY-BACK, prix Mystère de la Critique 1986 (repris en « Folio », n° 2635).

Aux Éditions Verdier

AUTRES LIEUX.
MAIN COURANTE.
LES FIGURANTS.
LE GOÛT DE LA VÉRITÉ.
CANNIBALE (repris en « Folio », n° 3290).
LA REPENTIE (repris en « Folio policier », n° 203).
LE DERNIER GUÉRILLERO.
LA MORT EN DÉDICACE.

Aux Éditions Julliard

HORS LIMITES (repris en « Folio », n° 3205).

Aux Éditions Baleine

NAZIS DANS LE MÉTRO.
ÉTHIQUE EN TOC.

Aux Éditions Hoebecke

À NOUS LA VIE ! Photographies de Willy Ronis.
BELLEVILLE-MÉNILMONTANT. Photographies de Willy Ronis.

Aux Éditions Parole d'Aube

ÉCRIRE EN CONTRE (entretiens).

PARUTIONS FOLIO POLICIER

Composition Nord Compo.
Impression Société Nouvelle Firmin-Didot
à Mesnil-sur-l'Estrée, le 27 juin 2001.
Dépôt légal : juin 2001.
1ᵉʳ dépôt légal dans la collection : juin 1999.
Numéro d'imprimeur : 55984.
ISBN 2-07-040828-0/Imprimé en France.

4820